SIEMPRE DEMASIADO Y NUNCA SUFICIENTE

Título original: *Too Much and Never Enough – How my family created the world´s most dangerous man*
Editor original: Simon & Schuster, New York
Traducción: Estíbaliz Montero y Patricia Sebastián

1.ª edición Agosto 2020

Plaza de los Reyes Magos, 8, piso 1.º C y D – 28007 Madrid
Ediciones Urano México, S.A. de C.V.
Ave. Insurgentes Sur 1722, 3er piso. Col. Florida
Ciudad de México, 01030. México
www.indicioseditores.com
www.edicionesuranomexico.com

ISBN: 978-84-15732-48-8
E-ISBN: 978-84-18259-35-7

Fotocomposición: Ediciones Urano, S.A.U.

Impreso por: Litográfica Ingramex, S.A. de C.V.
Centeno 162-I. Col. Granjas Esmeralda. CDMX, 09810

Impreso en México – *Printed in Mexico*

MARY L. TRUMP, PH.D.

SIEMPRE DEMASIADO Y NUNCA SUFICIENTE

CÓMO MI FAMILIA CREÓ AL HOMBRE MÁS PELIGROSO DEL MUNDO

indicios

Argentina – Chile – Colombia – España
Estados Unidos – México – Perú – Uruguay

Para mi hija, Avary, y mi padre

Si se deja el alma a oscuras, se cometerán pecados.
El culpable no es el que comete el pecado,
sino el que causa la oscuridad.

VICTOR HUGO, *Los Miserables*

Índice

TERCERA PARTE
Humo y espejos

CUARTA PARTE
La peor inversión jamás realizada

Nota de la autora

Gran parte de este libro surge de mi propia memoria. Para los hechos y eventos durante los cuales no estuve presente, me basé en conversaciones y entrevistas (muchas de las cuales están grabadas) con miembros de mi familia, amigos de la familia, vecinos y conocidos. He reconstruido algunos diálogos según lo que recuerdo personalmente y lo que otros me han contado. Donde transcribo diálogos, mi intención ha sido recrear la esencia de las conversaciones en lugar de la cita textual. También me he basado en documentos legales, estados de cuenta bancarios, declaraciones de impuestos, diarios privados, documentos familiares, correspondencia, correos electrónicos, textos, fotografías y otros registros.

Para los antecedentes generales de la historia, me basé en el *New York Times*, en particular el artículo de investigación de David Barstow, Susanne Craig y Russ Buettner que se publicó el 2 de octubre de 2018; en el *Washington Post; en Vanity Fair*; en *Politico;* en el sitio web del Museo TWA; y en el libro de Norman Vincent Peale *El poder del pensamiento positivo*. Acerca de lo sucedido con el Steeplechase Park, expreso mi agradecimiento al sitio web del Proyecto de Historia de Coney Island, *Brooklyn Paper*, y a un artículo del 14 de mayo de 2018 en 6sqft.com de Dana Schulz. Por su perspicacia en «*The episodic man*», gracias a Dan P. McAdams. Por la historia familiar y la información sobre los negocios familiares de Trump y los presuntos delitos, agradezco el reportaje de los fallecidos Wayne Barrett, David Corn, Michael D'Antonio, David Cay Johnston, Tim O'Brien, Charles P. Pierce y Adam Serwer. Gracias también a Gwenda Blair, y Michael Kranish y Marc Fisher, pero mi padre tenía cuarenta y dos, no cuarenta y tres, cuando murió.

Prólogo

Siempre me ha gustado mi apellido. Cuando era una niña, en las clases de vela, en los años 70, todo el mundo me llamaba Trump. Era un motivo de orgullo, no porque se asociara con poder y bienes raíces (en ese entonces mi familia era desconocida fuera de Brooklyn y Queens), sino porque me gustaba cómo sonaba y me hacía sentir; una niña fuerte de seis años, sin miedo a nada. En la década de los 80, cuando estaba en la universidad y mi tío Donald había empezado a poner el apellido en todos sus edificios en Manhattan, mis sentimientos respecto al nombre comenzaron a cambiar.

Treinta años después, el 4 de abril de 2017, estaba en el tranquilo vagón de un tren Amtrak que se dirigía a Washington D.C., para asistir a una cena familiar en la Casa Blanca. Diez días antes había recibido un correo electrónico invitándome a una celebración de cumpleaños en honor de mis tías Maryanne, que cumplía ochenta años, y Elizabeth, que cumplía setenta y cinco. Su hermano menor Donald, venía ocupando el Despacho Oval desde enero.

Cuando llegué a Union Station, con sus techos abovedados y suelos de mármol blanco y negro, pasé por delante de un vendedor que había montado un caballete con insignias de todo tipo: allí estaba mi apellido en un círculo rojo con una raya roja atravesándolo, «Deporten a TRUMP, «Hundan a TRUMP» y «TRUMP es una bruja». Me puse mis gafas de sol y aceleré el paso.

Tomé un taxi hasta el Hotel Trump International, en el que estaba invitada, junto a mi familia, a pasar una noche. Después de registrarme, caminé por el atrio y miré al techo de cristal y, más allá, al cielo azul. Las lámparas de cristal de tres niveles que colgaban del haz central de vigas interconectadas, que se arquean por encima de la cabeza, arrojaban una luz suave. En un lado, los sillones y sofás de color azul marino, turquesa y marfil estaban dispuestos en pequeños grupos; por otro lado, las mesas y sillas rodeaban un gran bar donde estaba previsto que me reuniera con mi hermano. Había esperado que el hotel fuera vulgar y lleno de dorados. No era así.

Mi habitación también era de buen gusto. Pero mi apellido destacaba en todas partes, en todas las cosas: champú TRUMP, acondicionador TRUMP, zapatillas TRUMP, gorro de ducha TRUMP, betún de zapatos TRUMP, kit de costura TRUMP y bata de baño TRUMP. Abrí la nevera, cogí un poco de vino blanco TRUMP y lo vertí en mi garganta de TRUMP para que pudiera atravesar mi torrente sanguíneo TRUMP y llegar al centro de placer de mi cerebro TRUMP.

Una hora más tarde me encontré con mi hermano, Frederick Crist Trump III, a quien llamo Fritz desde que éramos niños, y con su esposa, Lisa. Pronto se nos unió el resto de nuestro grupo: mi tía Maryanne, la mayor de los cinco hijos de Fred y Mary Trump, que fue una respetada jueza de la corte federal de apelaciones; mi tío Robert, el benjamín de la familia, que, fue por poco tiempo, uno de los empleados de Donald en Atlantic City antes de irse en malos términos a principios de los 90, junto a su novia; mi tía Elizabeth, la hija mediana de los Trump, con su marido Jim; mi primo David Desmond (el único hijo de Maryanne y el mayor de los nietos Trump) con su esposa; y algunos de los amigos más cercanos de mis tías. El único de los hermanos Trump que no asistiría a la celebración era mi padre, Frederick Crist Trump, Jr., el hijo mayor, al que todos llamaban Freddy. Había muerto hacía más de treinta y cinco años.

Cuando por fin estuvimos todos juntos, salimos del hotel donde nos esperaban los agentes de seguridad de la Casa Blanca, y luego nos subimos al azar en las dos furgonetas oficiales, como si fuésemos un equipo juvenil de lacrosse. Algunos de los huéspedes mayores tuvieron problemas para soportar el traslado. Nadie estaba cómodo apretado en los asientos de los vehículos. Me pregunto por qué la Casa Blanca no había pensado en enviar al menos una limusina para mis tías.

Cuando diez minutos después llegamos a la entrada del jardín sur, dos guardias salieron de la caseta de seguridad para inspeccionar la furgoneta antes de pasar por la puerta principal. Después de un corto viaje nos detuvimos en un pequeño edificio de seguridad adyacente al ala este y salimos del vehículo. Entramos, uno por uno, mientras decían nuestros nombres, entregamos nuestros teléfonos y bolsas, y pasamos por un detector de metales.

Una vez dentro de la Casa Blanca, caminamos de a dos o de a tres por los largos pasillos, pasando por las ventanas que dan a los jardines y al césped, y viendo las pinturas de tamaño natural de las antiguas primeras damas. Me detuve frente al retrato de Hillary Clinton y me quedé en silencio por un minuto. Me pregunté de nuevo cómo pudo haber sucedido esto.

No había razón para imaginar que visitaría la Casa Blanca, y menos en estas circunstancias. Todo el asunto parecía surrealista. Miré a mi alrededor. La Casa Blanca era elegante, grandiosa y majestuosa, y estaba a punto de ver a mi tío, el hombre que vivía allí, por primera vez en ocho años.

Salimos de las sombras del pasillo hacia el pórtico que rodea el Jardín de Rosas y nos detuvimos fuera del Despacho Oval. A través de las puertas vidrieras, pude ver que se estaba celebrando una reunión. El vicepresidente Mike Pence se hizo a un lado, pero el presidente de la Cámara Paul Ryan, el senador Chuck Schumer, y una docena de congresistas y empleados rodeaban a Donald, que estaba sentado detrás del escritorio presidencial.

La escena me recordó una de las tácticas de mi abuelo: siempre hacía que quienes le tenían que pedir algo fueran a él, ya fuese en su oficina de Brooklyn o en su casa de Queens, y se quedaba sentado mientras ellos estaban de pie. Yo misma, a finales del otoño de 1985, un año después de que me tomara una licencia de la Universidad de Tufts, me paré frente a él y le pedí permiso para volver a la universidad. Me miró y me dijo:

—Eso es una estupidez ¿Por qué quieres hacerlo? Ve a la escuela de oficios y hazte recepcionista.

—Porque quiero obtener mi título. —Debí de decirlo con una pizca de molestia, porque mi abuelo aguzó sus ojos y me miró por un segundo como si me estuviera examinando. La comisura de su boca se levantó con una sonrisa de desprecio, y se rio.

—Eso es desagradable, —fue su contestación.

Unos minutos más tarde, la reunión se acabó.

El Despacho Oval era más pequeño y menos íntimo de lo que había imaginado. Mi primo Eric y su esposa, Lara, a quien nunca había conocido, estaban de pie junto a la puerta, así que dije:

—Hola, Eric. Soy tu prima Mary.

—Por supuesto que sé quién eres —dijo.

—Bueno, ha pasado un tiempo —dije. —Creo que la última vez que nos vimos, todavía estabas en el instituto.

Se encogió de hombros y dijo:

—Probablemente sea cierto.

Él y Lara se marcharon sin que nos presentara. Miré a mi alrededor. Melania, Ivanka, Jared y Donny habían llegado y estaban de pie junto a Donald, que se quedó sentado. Mike Pence continuó acechando al otro lado de la habitación, con una sonrisa medio muerta en su rostro, como si fuera el acompañante al que todos querían evitar.

Lo miré fijamente, esperando hacer contacto visual, pero nunca miró hacia mí.

«Disculpad, todos», anunció con una voz chillona la fotógrafa de la Casa Blanca, una mujer pequeña con un traje pantalón oscuro. «Les vamos a reunir a todos para poder tomar algunas fotos antes de que subamos». Nos ordenó que rodeáramos a Donald, que aún no se había levantado del escritorio.

La fotógrafa levantó su cámara y dijo: «Uno, dos, tres, sonreíd».

Después de la sesión de fotos, Donald se puso de pie y señaló una imagen en blanco y negro enmarcada de mi abuelo, que estaba apoyada en una mesa detrás del escritorio.

—Maryanne, ¿no es una gran foto de papá?

Era la misma fotografía que solía estar en la mesa lateral de la biblioteca de la casa de mis abuelos. En ella, mi abuelo era todavía un hombre joven, con pelo oscuro, bigote, y una mirada de mando que nunca perdió hasta que comenzó su demencia. Todos habíamos visto la foto miles de veces.

—Tal vez también deberías tener una foto de mamá, —sugirió Maryanne.

—Es una gran idea —dijo Donald como si nunca se le hubiera ocurrido—; que alguien me consiga una foto de mamá.

Pasamos unos minutos más en el Despacho Oval, haciendo turnos para sentarnos detrás del escritorio presidencial. Mi hermano me tomó una foto, y cuando la miré después, noté a mi abuelo rondando detrás de mí como un fantasma.

El historiador de la Casa Blanca se nos unió justo fuera del Despacho Oval, y nos encaminamos a la Residencia Ejecutiva en el segundo piso para un tour previo a la cena. Una vez arriba, fuimos al Dormitorio Lincoln. Eché un vistazo rápido al interior y me sorprendió ver una manzana a medio comer en la mesita de noche. Mientras el historiador nos contaba historias sobre lo que había pasado en la habitación a través de los años, Donald hacía pequeños comentarios de vez en cuando y declaró: «Este lugar nunca se ha visto mejor desde que George Washington vivió aquí». El historiador fue demasiado educado para señalar que la casa no se habilitó hasta después de la muerte de Washington. El grupo se movió por el pasillo hacia la Sala de Firmas y el Comedor Ejecutivo.

Donald se paró en la puerta, saludando a la gente cuando entraba. Yo fui una de las últimas en llegar. Aún no le había dicho hola, y cuando me vio, me señaló con una mirada de sorpresa en su cara, y luego me dijo: «Pedí específicamente que estuvieras aquí» Ese era el tipo de cosas que decía a menudo para encantar a la gente, y tenía el don de adaptar su comentario a la ocasión, lo que era aún más impresionante porque yo sabía que no era cierto. Abrió sus brazos, y luego, por primera vez en mi vida, me abrazó.

Lo primero que noté del Comedor Ejecutivo fue su belleza: la madera oscura pulida a la perfección, los exquisitos decorados, y la caligrafía dibujada a mano en las tarjetas y menús (ensalada de lechuga iceberg, puré de patatas —alimentos básicos de la familia Trump— y filete de carne Wagyu). La segunda cosa que noté después de sentarme fue la disposición de los asientos. En mi familia, siempre puedes medir tu importancia por el lugar que ocupas, y no me importó estar algo apartada. Todas las personas con las que me sentía cómoda (mi hermano y mi cuñada, la hijastra de Maryanne y su marido) estaban sentados cerca de mí.

Cada uno de los camareros llevaba una botella de vino tinto y otra de blanco. Vino de verdad, no vino TRUMP. Eso fue inesperado. Nunca había habido alcohol en una cena familiar. En casa de mis abuelos solo se servía Coca-Cola o zumo de manzana.

A mitad de la comida, Jared entró en el comedor.

—Mirad —dijo Ivanka aplaudiendo— Jared ha regresado de su viaje por Oriente Próximo. Como si no lo hubiéramos visto antes en el Despacho Oval. Él se acercó a su esposa, le dio un rápido beso en la mejilla, y luego se inclinó sobre Donald, que estaba sentado junto a Ivanka. Hablaron en voz baja durante un par de minutos. Luego Jared se fue. No saludó a nadie más, ni siquiera a mis tías. Cuando él ya había cruzado el umbral, Donny saltó de su silla y salió tras él como si fuese un cachorro excitado.

Mientras se servía el postre, Robert se puso de pie con una copa de vino en la mano.

—Es un gran honor estar aquí con el presidente de los Estados Unidos —dijo—. Gracias, Señor presidente, por permitirnos estar aquí para celebrar los cumpleaños de nuestras hermanas.

Eso me recordó la última vez que la familia había celebrado el Día del Padre en el restaurante Peter Luger Steak House de Brooklyn. Entonces, como ahora, Donald y Rob estaban sentados juntos, y yo frente a ellos. De pronto aquel día, sin ninguna explicación, Donald se había vuelto hacia Rob y le había dicho mientras mostraba sus dientes descubiertos y apuntaba a su boca:

—Mira.

—¿Qué? —había preguntado Rob.

Donald había seguido mostrando sus dientes y señalando más enfáticamente. Rob había empezado a ponerse nervioso. Yo no tenía ni idea de lo que estaba pasando, pero recuerdo mirar divertida la escena mientras sorbía mi Coca-Cola.

—¡Mira! —Donald repitió a través de sus dientes apretados— ¿Qué piensas?

—¿Qué quieres decir? —Rob comenzó a avergonzarse. Giró la cabeza a su alrededor para asegurarse de que nadie lo miraba y susurró:

—¿Hay algo en mis dientes?

Los tazones de crema de espinacas esparcidos por la mesa lo convertían en una clara posibilidad.

Entonces Donald relajó su boca y dejó de apuntar. La mirada despectiva de su rostro resumía toda la historia de su relación.

—Me he blanqueado los dientes. ¿Qué te parece? —preguntó secamente.

Ese día, después de los comentarios de Rob, Donald le echó la misma mirada despectiva que yo recordaba del Peter Luger casi veinte años atrás. Luego, con un vaso de Coca-Cola Light en la mano, Donald hizo algunos comentarios superficiales sobre los cumpleaños de mis tías, después de lo cual hizo un gesto hacia su nuera:

—Lara, aquí presente —dijo—, yo honestamente apenas sabía quién coño era, pero dio un gran discurso apoyándome durante la campaña en Georgia.

Para ese entonces, Lara y Eric habían estado juntos durante casi ocho años, así que presumiblemente Donald sabía bien quién era. Pero parecía como si no la hubiera tenido en cuenta hasta que dijo algo agradable sobre él, en un mitin de campaña durante las elecciones. Como siempre sucedía con Donald, la historia importaba más que la verdad, que era fácilmente sacrificada, especialmente si una mentira hacía que la historia sonara mejor.

Cuando le tocó el turno a Maryanne, dijo:

—Quiero darte las gracias por organizar el viaje para celebrar nuestros cumpleaños. Hemos recorrido un largo camino desde aquella noche en que Freddy le tiró un tazón de puré de patatas a Donald por ser tan malcriado.

Todos los que conocían la legendaria historia del puré de patatas se rieron, todos menos Donald, que escuchó con los brazos cruzados y el ceño fruncido, como lo hacía cada vez que Maryanne mencionaba la anécdota. Le molestó tanto como si aún fuese ese niño de siete años. Claramente aún sentía el aguijón de esa antigua humillación.

Sin ser aludido, mi primo Donny, que había regresado de perseguir a Jared, se levantó para hablar. En lugar de brindar por nuestras tías, dio una especie de discurso de campaña. «El pasado noviembre, el pueblo americano vio algo especial y votó por un presidente que sabía que los entendía. Vieron que representa una gran familia y se conectaron con nuestros valores». Miré a mi hermano y puse los ojos en blanco.

Busqué a uno de los camareros y le dije: —¿Puedo tomar más vino?

Regresó rápidamente con dos botellas y me preguntó si prefería tinto o blanco.

—Sí, por favor —contesté.

Tan pronto como terminamos el postre, todo el mundo se levantó. Sólo habían pasado dos horas desde que entramos en el Despacho Oval, pero la comida había terminado y era hora de irse. De principio a fin habíamos pasado el doble de tiempo en la Casa Blanca que en la casa de mis abuelos para Acción de Gracias o Navidad, pero menos tiempo con Donald que el que Kid Rock, Sarah Palin y Ted Nugent pasarían dos semanas después.

Alguien sugirió que nos tomáramos fotos individuales con Donald (aunque no con las invitadas de honor). Cuando me tocó a mí, Donald sonrió para la cámara y puso su pulgar hacia arriba, pero pude ver el cansancio detrás de la sonrisa. Parecía que mantener la fachada de alegría le estaba afectando.

—No dejes que te depriman —le dije mientras mi hermano tomaba la foto. No pasaría mucho tiempo para que su primer asesor de seguridad nacional fuera escandalosamente despedido, y las grietas en su presidencia ya empezaran a verse.

Donald sacó la barbilla y apretó los dientes, buscando un momento como el fantasma de mi abuela.

—No lo conseguirán —dijo.

Cuando Donald anunció su candidatura a la presidencia el 16 de junio de 2015, no me lo tomé en serio. No creí que *Donald* se lo tomara en serio. Supuse que simplemente quería publicidad gratuita para su marca. Ya había hecho ese tipo de cosas antes. Cuando los números de sus encuestas comenzaron a subir y tal vez ya había recibido garantías tácitas del presidente ruso Vladimir Putin de que Rusia haría todo lo posible para inclinar la elección a su favor, el atractivo de ganar creció.

—Es un payaso, —dijo mi tía Maryanne durante uno de nuestros almuerzos habituales de entonces—. Eso nunca sucederá.

Estuve de acuerdo.

Hablamos de cómo su reputación como hombre de negocios fracasado, y su apagada estrella de un *reality show*, condenaría su carrera.

—¿Alguien se cree esa mierda de que es un hombre hecho a sí mismo? ¿Qué ha logrado por sí mismo? —pregunté.

—Bueno, —dijo Maryanne, tan seca como el Sahara— ha conseguido irse a la bancarrota cinco veces.

Cuando Donald empezó a abordar la crisis de los opiáceos, y a usar el historial de alcoholismo de mi padre para justificar su postura contra las adicciones para parecer más comprensivo, las dos nos enfadamos mucho.

—Está usando la memoria de tu padre con fines políticos —dijo Maryanne— y eso es un pecado, sobre todo porque Freddy debería haber sido la estrella de la familia.

Pensamos que el flagrante racismo mostrado durante el discurso del anuncio de la candidatura de Donald sería un lastre insuperable, pero esa idea se desvaneció cuando Jerry Falwell, Jr. y otros evangelistas blancos empezaron a apoyarlo. Maryanne, una católica devota desde su conversión cinco décadas antes, estaba indignada.

—¿Qué demonios les pasa? —dijo— La única vez que Donald ha ido a la iglesia ha sido cuando las cámaras estaban allí. Es alucinante. No tiene principios. ¡Ninguno!

Nada de lo que Donald dijo durante la campaña, desde su desprecio a la secretaria del Estado, Hillary Clinton, posiblemente la candidata presidencial más calificada en la historia del país, como una «mujer desagradable», hasta su burla a Serge Kovaleski, un reportero discapacitado del *New York Times,* se desvió de lo que se esperaba de él. De hecho, recordé todas las comidas familiares a las que había asistido durante las cuales Donald había hablado de todas las mujeres que consideraba feas y gordas o de los hombres, normalmente más hábiles o poderosos que él, a los que llamaba perdedores, mientras que mi abuelo, y Maryanne, Elizabeth y Robert, le reían las gracias. Ese tipo de deshumanización casual de la gente era común en la mesa de los Trump. Lo que me sorprendió fue que se saliera con la suya.

Después consiguió que lo nominaran como candidato. Las cosas que yo había pensado que lo descalificarían sólo parecían reforzar su atractivo para su base electoral. Todavía no estaba preocupada, estaba segura de que nunca podría ser elegido, pero la idea de que tuviera una oportunidad ya era desconcertante.

A finales del verano de 2016, consideré la posibilidad de hablar sobre las distintas cosas por las cuales consideraba que Donald no estaba en absoluto cualificado. En ese entonces, había salido relativamente ileso de la Convención Nacional Republicana y de su llamamiento a la «gente de la Segunda Enmienda» para detener a Hillary Clinton. Incluso su ataque a Khizr y Ghazala Khan, padres modélicos cuyo hijo Humayun, un capitán del ejército de los EE.UU., había muerto en Irak, parecía no importar. Cuando la mayoría de los republicanos encuestados todavía lo apoyaban después de que se viera el video de *Access Hollywood*, supe que había tomado la decisión correcta de no hablar.

Empecé a sentir que estaba viendo repetirse a gran escala la historia de mi familia, y el papel central de Donald en ella. Su competición en la carrera se llevaba a cabo con estándares más altos, como mi padre siempre lo había hecho, mientras que Donald continuaba saliéndose con la suya, e incluso era recompensado por un comportamiento cada vez más grosero, irresponsable y despreciable. «*Esto no puede volver a suceder*, pensé. Pero así fue.

Los medios de comunicación no se dieron cuenta de que ningún miembro de la familia de Donald, aparte de sus hijos, su yerno y su actual esposa, dijo una palabra de apoyo a él durante toda la campaña. Maryanne me dijo que tuvo suerte porque, como juez federal, necesitaba mantener su objetividad. Ella podía haber sido la única persona en el país, dada su posición como hermana y su reputación profesional, que, si hubiera hablado de la incapacidad total de Donald para el cargo, podría haber marcado la diferencia. Pero ella tenía sus propios secretos que guardar, y no me sorprendió del todo cuando me dijo, después de las elecciones, que había votado a su hermano por «lealtad familiar».

Crecer en la familia Trump, particularmente como hija de Freddy, presentó ciertos desafíos. En cierto modo he sido extremadamente afortunada. Asistí a excelentes escuelas privadas y tuve la tranquilidad de un seguro médico de primera clase durante gran parte de mi vida. También había, sin embargo, una sensación de escasez que se aplicaba a todos nosotros, excepto a Donald. Después de la muerte de mi abuelo en 1999, me enteré de que mi padre y su prole habían sido borrados del testamento como si el hijo mayor de Fred Trump nunca hubiera existido, y tuve que presentar una demanda judicial. Al final, llegué a la conclusión de que si hablaba públicamente de mi tío, me pintarían como una sobrina descontenta y desheredada que buscaba fortuna o ajustar cuentas.

Para entender lo que llevó a Donald —y a todos nosotros— a este punto, tenemos que empezar con mi abuelo y su propia necesidad de reconocimiento, una necesidad que lo impulsó a alentar la imprudente hipérbole de Donald y la inmerecida confianza que ocultaba las debilidades e inseguridades patológicas de Donald.

A medida que Donald crecía, se vio obligado a convertirse en su propio animador, primero porque necesitaba que su padre creyera que era mejor hijo que Freddy; luego porque Fred se lo exigía; y finalmente porque empezó a creer en su propia grandeza, incluso un nivel muy profundo que nadie más lo hacía. En el momento de la elección, Donald se enfrentó a cualquier desafío a su sentido de superioridad con ira. Su miedo y sus vulnerabilidades están tan efectivamente enterradas que ni siquiera tuvo que reconocer que existían. Y nunca lo haría.

En la década de 1970, después de que mi abuelo llevaba años prefiriendo y promoviendo a Donald, los medios de comunicación de Nueva York tomaron la batuta y comenzaron a difundir la grandeza sin fundamento de Donald. En la década de 1980, los bancos comenzaron a financiar sus empresas. El deseo de estos (y luego la necesidad) de fomentar las cada vez más infundadas afirmaciones de éxito de Donald se basaba en la esperanza de recuperar sus pérdidas.

Después de una década durante la cual Donald se tambaleó arrastrado por las bancarrotas y quedó reducido a ser la fachada de una serie de productos fallidos, desde filetes hasta vodka, el productor de televisión Mark Burnett le dio otra oportunidad. En el programa de *El Aprendiz* se aprovechó de la imagen de Donald como el descarado y autodidacta negociador, un mito que había sido la creación de mi abuelo cinco décadas antes y que, sorprendentemente, considerando la vasta evidencia que lo refutaba, había sobrevivido en el nuevo milenio casi completamente inalterado. Para cuando Donald anunció su candidatura al Partido Republicano en 2015, un porcentaje significativo de la población americana estaba preparada para creer en ese mito.

Hasta hoy, las mentiras, tergiversaciones e invenciones que son la suma total de quién es mi tío, son perpetuadas por el Partido Republicano y los cristianos evangélicos blancos. Personas que deberían actuar de otra manera, como el líder de la mayoría del Senado Mitch McConnell; verdaderos creyentes, como el representante Kevin McCarthy, el secretario de Estado Mike Pompeo, el fiscal general William Barr; y otros, demasiado numerosos para nombrarlos, se han convertido, queriendo o no, en cómplices de su perpetuación.

Ninguno de los hermanos Trump salió ileso de la sociopatía de mi abuelo y de las enfermedades de mi abuela, tanto físicas como psicológicas, pero mi tío Donald y mi padre Freddy sufrieron más que el resto. Para tener una imagen completa de Donald, sus psicopatologías y el significado de su comportamiento disfuncional, necesitamos un historial familiar completo.

En los últimos tres años, he visto como innumerables expertos, psicólogos de pacotilla, y periodistas han seguido sin darse cuenta, usando frases como «narcisismo maligno» y «desorden de personalidad narcisista», en un intento de dar sentido al comportamiento, a menudo bizarro y autodestructivo, de Donald. No tengo problemas en llamar narcisista a Donald ya que cumple con los nueve criterios del *Manual de diagnóstico y estadística de los trastornos mentales* (DSM-5), pero la etiqueta sólo nos conduce hasta cierto lugar y no explica todo.

Obtuve mi doctorado en psicología clínica en el Instituto Derner de Estudios Psicológicos Avanzados y, mientras investigaba para mi tesis, pasé un año trabajando en la sala de admisiones del Centro Psiquiátrico de Manhattan, una instalación estatal, donde diagnosticamos, evaluamos y tratamos a algunos de los pacientes más enfermos y vulnerables. Además, doy clases de psicología en cursos de postgrado, incluyendo cursos de trauma, psicopatología y psicología del desarrollo, y durante varios años como profesora adjunta, proporcioné terapia y realicé pruebas psicológicas a pacientes en una clínica comunitaria especializada en adicciones.

Esas experiencias me mostraron una y otra vez que el diagnóstico psicológico no existe en el vacío. ¿Donald tiene otros síntomas de los que no somos conscientes? ¿Hay otros desórdenes que puedan tener tanto o más poder explicativo? Tal vez. Se podría argumentar que también cumple con los criterios del trastorno de personalidad antisocial, que en su forma más severa se considera generalmente sociopatía, pero también puede referirse a la criminalidad crónica, a la arrogancia y al desprecio de los derechos de los demás. ¿Existe morbilidad asociada? Probablemente. Donald también puede cumplir algunos de los criterios del trastorno de personalidad dependiente, cuyas características incluyen la incapacidad de tomar decisiones o asumir responsabilidades, la incomodidad de estar solo y el hacer esfuerzos excesivos para obtener el apoyo de los demás. ¿Hay otros factores que deban considerarse? Absolutamente. Puede que tenga una larga discapacidad de aprendizaje no diagnosticada que durante décadas ha interferido con su capacidad de procesar información. Además, se alega que bebe más de doce Coca-Cola light al día, y que duerme muy poco. ¿Sufre de un trastorno del sueño inducido por una sustancia (en este caso la cafeína)? También lleva una dieta horrible y no hace ejercicio, lo que puede contribuir o exacerbar sus otros posibles trastornos.

El hecho es que las patologías de Donald son tan complejas y sus comportamientos tan a menudo inexplicables que llegar a un diagnóstico preciso y completo requeriría de una batería completa de pruebas psicológicas y neuropsicológicas que nunca se producirá. En este punto, no podemos evaluar su funcionamiento diario porque está esencialmente institucionalizado en el ala oeste de la Casa Blanca. Donald ha estado institucionalizado, es decir habituado al régimen de vida de una institución, durante la mayor parte de su vida adulta, por lo que no hay manera de saber cómo prosperaría, o incluso sobreviviría, por su cuenta en el mundo real.

Al final de la fiesta de cumpleaños de mis tías en 2017, mientras hacíamos cola para las fotos, pude ver que Donald ya estaba bajo un tipo de estrés que nunca había experimentado antes. A medida que las presiones sobre él han seguido aumentando en el curso de los últimos tres años, la disparidad entre el nivel de competencia requerido para dirigir un país y su incompetencia se ha ampliado, revelando sus delirios más claramente que antes.

Muchos, pero de ninguna manera todos, han estado protegidos hasta ahora de los peores efectos de sus patologías gracias a una economía estable y la falta de crisis graves. Pero la pandemia descontrolada del COVID-19, la posibilidad de una depresión económica, la profundización de las divisiones sociales en el plano político, gracias a la tendencia de Donald a la división, y la devastadora incertidumbre sobre el futuro de nuestro país, han creado una tormenta perfecta de catástrofes que nadie está menos preparado que mi tío para gestionar. Hacerlo requeriría coraje, fuerza de carácter, deferencia a los expertos, y la confianza para asumir la responsabilidad y el rumbo correcto después de admitir los errores. Su tradicional habilidad para controlar situaciones desfavorables mintiendo, dando vueltas y ofuscando, ha disminuido hasta el punto de llegar a la total impotencia, en medio de las tragedias que enfrentamos actualmente. Su atroz y posiblemente intencional mal manejo de la actual catástrofe ha llevado a un nivel de retroceso y escrutinio que nunca antes había experimentado, aumentando su beligerancia y la necesidad de una pequeña venganza al retener fondos vitales, equipo de protección personal y respiradores a Estados cuyos gobernadores no le besan el trasero lo suficiente, a pesar de que los han pagado con sus impuestos.

En la película de 1994, basada en la novela de Mary Wollstonecraft Shelley, el monstruo de Frankenstein dice: «Sé que por la simpatía de un ser vivo, haría las paces con todos. Tengo amor en mí, tanto como puedes imaginar, y rabia, tanta como no te creerías. Si no puedo satisfacer a uno, complaceré al otro». Después de referirse a esa cita, Charles P. Pierce escribió en *Esquire*, «[Donald] no tiene dudas acerca de lo que está creando a su alrededor. Está orgulloso de su monstruo. Se enorgullece de su ira y su destrucción y, aunque no puede imaginar su amor, cree con todo su corazón en su rabia. Es Frankenstein sin conciencia».

Eso se podría haber dicho con más precisión sobre el padre de Donald, Fred, con esta diferencia crucial: el monstruo de Fred, el único hijo que le importaba, se volvería finalmente no amado por la naturaleza misma de la preferencia de Fred por él. Al final, no habría ningún amor por Donald, sólo su agonizante sed de él. La rabia, a la que se dejó crecer, llegaría a eclipsar a todo lo demás.

Cuando Rhona Graff, la asistente personal de Donald, nos envió a mi hija y a mí una invitación para asistir a la fiesta de la noche de elecciones de

Donald en Nueva York, la rechacé. No hubiese podido contener mi euforia cuando se anunciase la victoria de Clinton, y no quería ser grosera. A las cinco de la mañana del día siguiente, sólo un par de horas después de que se anunciara el resultado opuesto, estaba vagando por mi casa, tan traumatizada como muchas otras personas, pero de una manera más personal: parecía que 62.979.636 votantes habían elegido convertir este país en una versión macro de mi maligna familia disfuncional.

Durante el mes siguiente a las elecciones, me encontré viendo compulsivamente las noticias y revisando mi Twitter, ansiosa e incapaz de concentrarme en nada más. Aunque nada de lo que hizo Donald me sorprendió, la velocidad y el volumen con los que empezó a infligir sus peores impulsos al país —desde mentir sobre el tamaño de la multitud en la inauguración y quejarse de lo mal que lo trataron, hasta hacer retroceder las protecciones ambientales, apuntar contra la Affordable Care Act (la ley de atención médica asequible a millones de personas), y promulgar su racista prohibición a lo musulmán— me abrumó. La mera visión de la cara de Donald o escuchar mi propio apellido, ambas cosas que sucedían docenas de veces al día, me hacían recordar la época en la que mi padre se había marchitado y muerto bajo la crueldad y el desprecio de mi abuelo. Lo perdí cuando él tenía sólo cuarenta y dos años y yo dieciséis. El horror de la crueldad de Donald se magnificaba por el hecho de que sus actos eran ahora política oficial de los EE.UU., afectando a millones de personas.

La atmósfera de división que mi abuelo creó en la familia Trump es el agua en la que Donald siempre ha nadado, y la división continúa beneficiándolo a expensas de todos los demás. Está desgastando al país, como lo hizo con mi padre, cambiándonos a todos, pero dejando a Donald inalterado. Está debilitando nuestra capacidad de ser amables o de creer en el perdón, conceptos que nunca han tenido ningún significado para él. Su administración y su partido han sido subsumidos por su política de agravios y derechos. Peor aún, Donald, que no entiende nada de historia, principios constitucionales, geopolítica, diplomacia (o cualquier otra cosa, en realidad) y nunca fue presionado para demostrar tal conocimiento, ha evaluado todas las alianzas de este país, y todos nuestros programas sociales, únicamente a través del prisma del dinero, tal como su padre le enseñó a hacer. Los costes y beneficios de gobernar se consideran en términos puramente financieros, como si el Departamento del Tesoro de los EE.UU. fuera su hucha personal. Para él, cada dólar que salía era su pérdida, mientras que cada dólar ahorrado era su ganancia. En medio de la obscena abundancia, tenemos a una persona usando todos los mecanismos del poder y aprovechando todas las ventajas existentes a su disposición, para beneficiarse a sí mismo y, condicionalmente, a su familia inmediata, sus compinches y sus aduladores; para el resto, nunca habría suficiente, que era exactamente la forma como mi abuelo dirigía nuestra familia.

Es extraordinario que, a pesar de toda la atención y cobertura que Donald ha recibido en los últimos cincuenta años, haya sido sometido a tan poco escrutinio. Aunque sus defectos de carácter y su comportamiento aberrante han sido comentados y motivo de burlas, ha habido muy poco esfuerzo para entender, a pesar de su evidente falta de aptitud, no sólo por qué se convirtió en lo que es, sino cómo ha fallado consistentemente.

Donald, en cierto sentido, siempre ha estado institucionalizado, protegido de sus limitaciones o de su necesidad de tener éxito por sí mismo en el mundo. Nunca se le exigió un trabajo honesto, y no importaba lo mucho que hubiese fracasado, siempre fue recompensado de manera casi insondable. Continúa siendo protegido de sus propios desastres en la Casa Blanca, donde una banda de leales aplaude cada uno de sus pronunciamientos, o encubre su posible negligencia criminal, normalizándola hasta el punto de que nos hemos vuelto casi insensibles a las transgresiones acumuladas. Pero ahora lo que está en juego es mucho más importante que antes; es literalmente la vida y la muerte. A diferencia de cualquier otra época de su vida, los defectos de Donald no pueden ser escondidos o ignorados porque nos amenazan a todos.

Aunque mis tíos y tías puedan pensar lo contrario, no escribo este libro para ganar dinero o por un deseo de venganza. Si alguna de esas hubiera sido mi intención, habría escrito un libro sobre nuestra familia hace años, cuando no había forma de anticipar que Donald se aprovecharía de su reputación como empresario que sistemáticamente se va a la bancarrota, y presentador de un irrelevante *reality show*, para llegar a la Casa Blanca; en ese momento habría sido más seguro porque mi tío no estaba en posición de amenazar y poner en peligro a los denunciantes y críticos. Sin embargo, los acontecimientos de los últimos tres años me han obligado a ello, y ya no puedo permanecer en silencio. Para cuando se publique este libro, cientos de miles de vidas americanas habrán sido sacrificadas en el altar de la arrogancia y la ignorancia deliberada de Donald. Si se le concede un segundo mandato, sería el fin de la democracia americana.

Nadie sabe cómo Donald llegó a ser quien es mejor que su propia familia. Desafortunadamente, casi todos permanecen en silencio por lealtad o miedo. Yo no me veo obstaculizada por ninguna de esas dos cosas. Además de los relatos de primera mano que puedo dar como hija de mi padre, y única sobrina de mi tío, tengo la perspectiva de una psicóloga clínica con experiencia. *Siempre demasiado y nunca suficiente* es la historia de la familia actual más visible y poderosa del mundo. Y soy el único miembro de los Trump que está dispuesto a contarla.

Espero que este libro termine con la práctica de referirse a las «estrategias» o «agendas» de Donald, como si él operara de acuerdo a cualquier principio organizativo. No lo hace. El ego de Donald ha sido, y es, una barrera frágil e inadecuada entre él y el mundo real, que, gracias al dinero y el poder de su padre, nunca tuvo que negociar por sí mismo. Donald siempre ha necesitado perpetuar la ficción que empezó mi abuelo de que es fuerte, inteligente y, por lo demás, extraordinario, porque enfrentarse a la verdad —que no es ninguna de esas cosas— es demasiado aterrador para que él lo contemple.

Donald, siguiendo el ejemplo de mi abuelo y con la complicidad, el silencio y la inacción de sus hermanos, destruyó a mi padre. No puedo dejar que destruya mi país.

PRIMERA PARTE

La crueldad es el objetivo

CAPÍTULO UNO

La Casa

«¡Papá, mamá está sangrando!»

Llevaban viviendo en la «Casa», como se conocía a la casa de mis abuelos, menos de un año, y todavía la sentían desconocida, especialmente en mitad de la noche, así que cuando Maryanne, de doce años, encontró a su madre inconsciente en uno de los baños de arriba (no el baño principal, sino el que compartía con su hermana al final del pasillo) ya estaba desorientada. Había sangre por todo el suelo del baño. El terror de Maryanne era tan grande que superó su habitual reticencia a molestar a su padre en su dormitorio y voló hasta el otro extremo de la casa para despertarlo.

Fred se levantó de la cama, caminó con rapidez por el pasillo y encontró a su esposa inconsciente. Con Maryanne pisándole los talones, volvió con prisa a su dormitorio, donde había un teléfono, e hizo una llamada.

Al ser ya un hombre poderoso con contactos en el hospital de la zona (Jamaica Estates), pasaron de inmediato a Fred con alguien que pudiera enviar una ambulancia a la Casa y asegurarse de que fueran atendidos por los mejores médicos a su llegada a emergencias. Fred explicó la situación lo mejor que pudo a la persona al otro lado de la línea. Maryanne le oyó decir «menstruación», una palabra desconocida que sonaba extraña saliendo de la boca de su padre.

Poco después de que Mary llegara al hospital, se sometió a una histerectomía de emergencia después de que los médicos descubrieran complicaciones posparto graves que no habían sido diagnosticadas después del nacimiento de Robert, hacía nueve meses. La intervención provocó una infección abdominal, y después surgieron más complicaciones.

Desde lo que se convertiría en su sitio habitual, junto a la mesa del teléfono en la biblioteca, Fred habló brevemente con uno de los médicos de Mary y, después de colgar el teléfono, llamó a Maryanne para que se reuniera con él.

—Me han dicho que tu madre no pasará de esta noche —le dijo a su hija.

Un poco más tarde, cuando se iba al hospital para estar con su esposa, le dijo:

Mañana irás al colegio. Te llamaré si hay algún cambio.

Ella entendió lo que insinuaba: te llamaré si tu madre se muere.

Maryanne pasó la noche llorando sola en su habitación mientras sus hermanos menores permanecían dormidos en sus camas, sin ser conscientes de la calamidad. Al día siguiente fue al colegio llena de temor. El Dr. James Dixon, el director de Kew-Forest, un colegio privado al que había empezado a asistir cuando su padre entró a formar parte de la junta directiva, fue a buscarla a la sala de estudio. «Hay una llamada telefónica para usted en mi oficina».

Maryanne estaba convencida de que su madre había muerto. El trayecto hasta la oficina del director fue como ir al patíbulo. Lo único en lo que la niña de doce años podía pensar era en que se iba a convertir en la madre de cuatro hijos.

Cuando descolgó el teléfono, su padre simplemente dijo:

—Va a salir de esta.

Mary se sometió a dos cirugías más durante la semana siguiente, pero, en efecto, salió de esa. La influencia de Fred en el hospital, que aseguró que su esposa tuviera los mejores médicos y cuidados, probablemente le salvó la vida. Pero la recuperación sería un camino largo de recorrer.

Durante los seis meses siguientes, Mary estuvo entrando y saliendo del hospital. Las consecuencias a largo plazo para su salud fueron serias. Con el tiempo desarrolló una osteoporosis severa por la repentina pérdida de estrógenos que se produjo al extirparle los ovarios junto con el útero, un procedimiento médico habitual, pero a menudo innecesario, que se realizaba en aquel entonces. Como resultado, con frecuencia sufría un dolor insoportable a causa de las fracturas espontáneas de sus cada vez más delgados huesos.

Si la suerte nos sonríe, cuando somos bebés y niños pequeños, tenemos al menos un progenitor emocionalmente disponible que constantemente satisface nuestras necesidades y responde a nuestros deseos de atención. Ser abrazado y consolado, que nuestros sentimientos sean reconocidos y que nuestros malestares sean aliviados son situaciones necesarias para el desarrollo saludable de los niños pequeños. Este tipo de atención crea una sensación de seguridad que, en última instancia, nos permite explorar el mundo que nos rodea sin un miedo excesivo o una ansiedad incontrolable, porque sabemos que podemos contar con el apoyo fundamental de al menos un cuidador.

La imitación o *mirroring*, el proceso a través del cual un padre sensibilizado refleja, procesa y luego devuelve al bebé los mismos sentimientos del bebé, es otra parte crucial del desarrollo de un niño pequeño. Sin la imitación, a los niños se les niega información crucial tanto sobre cómo funciona su mente como sobre cómo entender el mundo. Así como un apego seguro a un cuidador primario puede llevar a niveles más altos de inteligencia emocional, el *mirroring* es la raíz de la empatía.

Mary y Fred fueron padres problemáticos desde el principio. Mi abuela rara vez me hablaba de sus propios padres o de su infancia, así que solo puedo especular, pero era la menor de diez hijos —veintiún años menor que su hermano mayor y cuatro años menor que el segundo más joven— y creció en un entorno a menudo inhóspito a principios de la década de 1910. Ya sea porque sus propias necesidades no fueran suficientemente satisfechas cuando era joven o por alguna otra razón, era el tipo de madre que usaba a sus hijos para consolarse a sí misma en lugar de consolarlos a ellos. Los atendía cuando le convenía, no cuando ellos lo necesitaban. A menudo inestable y necesitada, propensa a sentir lástima de sí misma y a hacerse la mártir, con frecuencia se ponía a sí misma en primer lugar. Especialmente cuando se trataba de sus hijos, actuaba como si no hubiera nada que pudiera hacer por ellos.

Durante y después de sus cirugías, la ausencia de Mary, tanto literal como emocional, creó un vacío en las vidas de sus hijos. Por muy duro que fuera para Maryanne, Freddy y Elizabeth, eran lo bastante mayores para entender lo que estaba pasando y podían, hasta cierto punto, cuidarse a sí mismos. El impacto fue especialmente nefasto para Donald y Robert, que con dos años y medio y nueve meses de edad, respectivamente, eran los más vulnerables de sus hijos, sobre todo porque no había nadie más que llenara el vacío. El ama de llaves estaba sin duda abrumada por el gran volumen de trabajo doméstico. Su abuela paterna, que vivía cerca, preparaba las comidas, pero era tan brusca y poco dada al afecto físico como su hijo. Cuando Maryanne no estaba en el colegio, gran parte de la responsabilidad de cuidar de los niños más pequeños recaía en ella. (Puesto que era un chico, no se esperaba que Freddy ayudara). Los bañaba y los preparaba para ir a la cama, pero a los doce años no podía hacer mucho. Básicamente, los cinco niños carecían de madre.

Mientras que Mary siempre tenía necesidades, Fred parecía no tener ninguna necesidad emocional en absoluto. De hecho, era un sociópata altamente funcional. Aunque es poco común, la sociopatía no es rara, ya que aflige hasta a un 3% de la población. El 75% de los diagnosticados son hombres. Los síntomas de la sociopatía incluyen falta de empatía, facilidad para mentir, indiferencia ante el bien y el mal, comportamiento abusivo y falta de interés por los derechos de los demás. El hecho de tener a un sociópata como padre, especialmente si no hay nadie más alrededor para mitigar los efectos, garantiza una grave distorsión en la forma en que los niños se entienden a sí mismos, regulan sus emociones y se relacionan con el mundo. Mi abuela estaba mal preparada para lidiar con los problemas causados en su matrimonio por la insensibilidad, la indiferencia y los comportamientos controladores de Fred. La falta de sentimientos humanos reales de Fred, su rigidez como padre y esposo, y su creencia sexista en la inferioridad innata de la mujer probablemente le hicieron sentir que le faltaba apoyo.

Puesto que Mary estaba emocional y físicamente ausente debido a sus lesiones, Fred se convirtió, por defecto, en el único padre disponible, pero sería un error referirse a él como cuidador o protector. Creía firmemente que tratar con niños pequeños no era cosa suya y mantuvo su trabajo de doce horas diarias y seis días a la semana en Trump Management, como si sus hijos pudieran cuidarse a sí mismos. Se centró en lo que era importante para él: su cada vez más exitoso negocio, que en ese momento estaba desarrollando Shore Haven y Beach Haven, dos gigantescos proyectos residenciales en Brooklyn que fueron los más importantes de su vida.

Una vez más, Donald y Robert se encontraban en la posición más precaria ante la falta de interés de Fred. Todo comportamiento exhibido por los bebés y niños pequeños es una forma de comportamiento de apego, que busca una respuesta positiva y reconfortante del cuidador, una sonrisa para conseguir una sonrisa, lágrimas para conseguir un abrazo. Incluso en circunstancias normales, Fred habría considerado cualquier expresión de ese tipo como una molestia, pero es probable que Donald y Robert estuvieran aún más necesitados porque echaban de menos a su madre y estaban seriamente angustiados por su ausencia. Sin embargo, cuanto mayor era su angustia, más los rechazaba Fred. No le gustaba que le exigieran cosas, y la molestia provocada por la necesidad de sus hijos creaba una tensión peligrosa en el hogar de los Trump: al adoptar conductas biológicamente diseñadas para provocar respuestas tranquilizadoras y reconfortantes por parte de sus padres, los niños pequeños provocaban la ira o la indiferencia de su padre en los momentos en los que eran más vulnerables. Para Donald y Robert, la «necesidad» se convirtió en el equivalente de la humillación, la desesperación y la desesperanza. Como Fred no quería que lo molestaran cuando estaba en casa, le resultaba favorable que sus hijos aprendieran de una forma u otra a no necesitar nada.

El estilo de crianza de Fred realmente exacerbó los efectos negativos de la ausencia de Mary. Como resultado de ello, sus hijos estaban aislados no solo del resto del mundo, sino también de sus hermanos y hermanas. A partir de ese momento se haría cada vez más difícil para ellos ser solidarios con otros seres humanos, y esta es una de las razones por las que los hermanos y hermanas de mi padre Freddy le fallaron cuando este los necesitó; defenderlo, o incluso ayudarlo, hubiera sido arriesgarse a enfrentarse a la ira de su padre.

Cuando Mary enfermó y la principal fuente de consuelo y conexión humana de Donald le fue arrebatada de repente, no solo no había nadie que le ayudara a encontrar sentido a la situación, sino que Fred era la única persona que quedaba en la que podía confiar. Las necesidades de Donald, que habían sido satisfechas de manera inconsistente antes de la enfermedad de su madre, apenas fueron satisfechas por su padre. El hecho de que Fred se convirtiera, por defecto, en la principal fuente de consuelo de Donald cuando era mucho más probable que fuera una fuente de miedo o rechazo, puso a Donald en una posición intolerable: ser totalmente dependiente de su padre, quien también era probable que fuera una fuente de terror.

El maltrato infantil es, en cierto sentido, una experiencia de «demasiado» o «no lo suficiente». Donald experimentó directamente el «no lo suficiente» en la pérdida de conexión con su madre en una etapa crucial del desarrollo que fue profundamente traumática. Sin previo aviso, sus necesidades dejaron de ser satisfechas, y sus miedos y anhelos no fueron calmados. Al haber sido abandonado por su madre durante al menos un año, y al tener un padre que no solo no satisfizo sus necesidades, sino que tampoco lo hizo sentirse seguro o querido, valorado o reflejado, Donald sufrió privaciones que lo dejarían marcado de por vida. Los rasgos de personalidad resultantes —muestras de narcisismo, intimidación y grandiosidad— al final hicieron que mi abuelo se diera cuenta, pero no de una manera que mejorara ninguno de los horrores que se habían producido antes. A medida que crecía, Donald fue sometido al «demasiado» de mi abuelo como testigo indirecto de lo que le pasó a Freddy al ser el sujeto de demasiada atención, demasiadas expectativas y, lo que es más importante, demasiada humillación.

Desde el principio, el egoísmo de Fred sesgó sus prioridades. El cuidado de sus hijos, tal como era, reflejaba sus propias necesidades, no las de los niños. El amor no significaba nada para él, y no podía empatizar con la situación de sus hijos, que es una de las características que definen a un sociópata; esperaba obediencia, eso era todo. Los niños no hacen tales distinciones, y sus hijos creían que su padre los quería o que de alguna manera podían ganarse su amor. Pero también sabían, aunque fuera a nivel inconsciente, que el «amor» de su padre, tal como lo experimentaban ellos, era totalmente condicional.

Maryanne, Elizabeth y Robert, en mayor o menor grado, experimentaron el mismo trato que Donald, porque Fred no estaba interesado en los niños en absoluto. Su hijo mayor, su tocayo, recibió la atención de Fred simplemente porque estaba siendo criado para continuar con su legado.

Para hacer frente a esta situación, Donald comenzó a desarrollar defensas potentes, pero primitivas, marcadas por una creciente hostilidad hacia los demás y una aparente indiferencia ante la ausencia de su madre y el abandono de su padre. Esto último se convirtió en una especie de impotencia aprendida con el paso del tiempo porque, aunque lo aislaba de los peores efectos de su dolor, también provocó que fuera extremadamente difícil (y a la larga diría que imposible) satisfacer sus necesidades emocionales, puesto que se volvió demasiado versado en actuar como si no tuviera ninguna. En el lugar de esas necesidades crecieron un tipo de quejas y comportamientos —que incluían la intimidación, la falta de respeto y la agresividad— que cumplieron con su propósito en aquel momento, pero que se volvieron más problemáticos con el tiempo. Con el cuidado y la atención adecuados, podrían haberse superado. Desafortunadamente para Donald, y ahora para todos los demás habitantes de este planeta, esos comportamientos se reforzaron y se convirtieron en rasgos de personalidad, porque una vez que Fred comenzó a prestar atención a su ruidoso y difícil segundo hijo, llegó a valorarlos. En otras palabras, Fred Trump llegó a validar, alentar y defender los rasgos de Donald que lo hacían esencialmente indigno de ser amado y que eran en parte el resultado directo del maltrato de Fred.

Mary nunca llegó a recuperarse por completo. Si ya le costaba dormir antes, luego desarrolló insomnio. Sus hijos mayores la encontraban vagando por la Casa a todas horas como un espectro silencioso. Una vez, Freddy la encontró encaramada a lo alto de una escalera, pintando el pasillo en mitad de la noche. Por la mañana, sus hijos a veces la encontraban inconsciente en lugares inesperados. Más de una vez terminó teniendo que ir al hospital. Ese comportamiento se convirtió en parte de la vida de la Casa. Mary recibía ayuda para las lesiones físicas que sufría, pero ninguna para los problemas psicológicos subyacentes que la llevaban a ponerse en situaciones de alto riesgo.

Más allá de las ocasionales lesiones de su esposa, Fred no era consciente de nada de esto y no habría admitido los efectos que su método de crianza particular tenía en sus hijos en aquel momento o más tarde. En lo que a él respectaba, se había enfrentado, por un tiempo breve, a los límites de su riqueza y de su poder para solucionar la crisis de salud de su esposa, que estuvo a punto de morir. Pero en última instancia, los desafíos médicos de Mary eran un pequeño parpadeo en el gran esquema de las cosas. Una vez que ella empezó a recuperarse y sus complejos inmobiliarios de Shore Haven y Beach Haven, ambos éxitos espectaculares, estaban a punto de completarse, todo parecía estar yendo de nuevo como Fred quería.

Cuando Freddy Trump, de ocho años, preguntó por qué su madre, muy embarazada, estaba engordando tanto, la charla en la mesa se interrumpió de golpe. Era 1948, y la familia Trump, que en aquel entonces estaba formada por cuatro hijos —Maryanne, de diez años, Freddy, Elizabeth, de cinco, y Donald, de un año y medio— se mudaría en pocas semanas a la casa de veintitrés habitaciones que Fred estaba construyendo. Mary bajó la vista al plato, y la madre de Fred, también llamada Elizabeth, que visitaba la Casa casi a diario, dejó de comer.

La etiqueta en la mesa en casa de mis abuelos era estricta, y había ciertas cosas que Fred no toleraba. «Codos fuera de la mesa, esto no es un establo para caballos» era un refrán frecuente, y Fred, cuchillo en mano, golpeaba con el mango el antebrazo de cualquier transgresor. (Rob y Donald se encargaban de esa tarea mientras Fritz, David y yo crecíamos, con un pelín de demasiado entusiasmo.) También había cosas de las que se suponía que los niños no debían hablar, especialmente frente a su padre o su abuela. Cuando Freddy quiso saber cómo había llegado el bebé allí dentro, Fred y su madre se levantaron al mismo tiempo, dejaron la mesa sin decir una palabra y se fueron. Fred no era un mojigato, pero Elizabeth, una mujer severa y formal que se adhería a las costumbres victorianas, con toda probabilidad sí que lo era.

Sin embargo, a pesar de sus propios puntos de vista rígidos con respecto a los roles de género, muchos años antes había hecho una excepción con su hijo. Un par de años después de que el padre de Fred muriera repentinamente, Elizabeth se convirtió en la socia de su hijo de quince años.

Aquello fue posible en parte porque su esposo, Friedrich Trump, que tenía bastante de emprendedor, había dejado dinero y propiedades valoradas en unos 300.000 dólares actuales.

Friedrich, nacido en Kallstadt, un pequeño pueblo del oeste de Alemania, emigró a los Estados Unidos cuando cumplió dieciocho años, en

1885, para evitar el servicio militar obligatorio. Con el tiempo, consiguió la mayor parte de su dinero a través de la propiedad de restaurantes y burdeles en la Columbia Británica. Se fue a los territorios del Yukón a tiempo para la fiebre del oro, y se retiró de allí justo antes de que el auge cayera en picado cerca del cambio de siglo.

En 1901, mientras visitaba a su familia en Alemania, Friedrich conoció a Elizabeth Christ y se casó con ella, una mujer rubia y menuda casi doce años menor que él. Llevó a su nueva esposa a Nueva York, pero un mes después del nacimiento de su primera hija, una niña a la que llamaron Elizabeth, la pareja regresó a Alemania con la intención de establecerse allí de forma permanente. Debido a las circunstancias en las que Friedrich había abandonado el país, las autoridades le dijeron que no podía quedarse. Friedrich, su esposa, que en aquel entonces estaba embarazada de cuatro meses de su segundo hijo, y su hija de dos años regresaron por última vez a los Estados Unidos en julio de 1905. Sus dos hijos, Frederick y John, nacieron en 1905 y 1907, respectivamente. Al final se establecieron en Woodhaven, Queens, donde los tres niños crecieron hablando alemán.

Cuando Friedrich murió de gripe española, Fred, de doce años, se convirtió en el hombre de la casa. A pesar del tamaño de la herencia de su marido, Elizabeth tenía problemas para llegar a fin de mes. La epidemia de gripe, que mató a más de 50 millones de personas en todo el mundo, tuvo un efecto desestabilizador en lo que de otra manera podría haber sido una economía en auge en tiempos de guerra. Mientras aún estaba en la escuela secundaria, Fred aceptó una serie de trabajos temporales para ayudar financieramente a su madre y comenzó a estudiar el oficio de la construcción. Convertirse en constructor había sido su sueño desde que tenía memoria. Aprovechó todas las oportunidades a su disposición para aprender el negocio, ya que todos sus aspectos lo intrigaban, y durante su segundo año, con el apoyo de su madre, comenzó a construir y vender garajes en su vecindario. Se dio cuenta de que se le daba bien, y desde entonces no tuvo ningún otro interés. Dos años después de que Fred se graduara en el instituto, Elizabeth creó la empresa E. Trump and Son. Ella reconoció la aptitud de su hijo para la construcción, y la empresa le permitía gestionar las transacciones financieras de su hijo aún menor de edad —a principios del siglo xx, la gente no alcanzaba la mayoría de edad hasta los veintiún años—. Era su forma de apoyarlo. Tanto el negocio como la familia prosperaron.

Cuando Fred tenía veinticinco años, asistió a un baile en el que conoció a Mary Anne MacLeod, recién llegada de Escocia. Según la leyenda familiar, cuando volvió a casa le contó a su madre que había conocido a la chica con la que se iba a casar.

Mary era la menor de diez hermanos y nació en 1912 en Tong, un pueblo de la isla de Lewis en las Hébridas Exteriores, situada a unos sesenta y cinco kilómetros de la costa noroeste de Escocia; su infancia estuvo marcada por dos tragedias mundiales, la última de las cuales también afectó profundamente a su futuro marido: la Primera Guerra Mundial y la epidemia de gripe española. La isla de Lewis había perdido un porcentaje desproporcionado de su población masculina durante la guerra y, en un cruel giro del destino, dos meses después de que se firmara el armisticio en noviembre de 1918, un barco que transportaba soldados a la isla desde el continente se estrelló contra unas rocas a pocos metros de la costa en la madrugada del 1 de enero de 1919. Más de 200 soldados de los aproximadamente 280 que iban a bordo fallecieron en aguas heladas a menos de un kilómetro de la seguridad del puerto de Stornoway. Gran parte de la población masculina adulta joven de la isla murió. Cualquier mujer joven que esperase encontrar marido tendría mejor suerte en otro lugar.

A Mary, una de las seis hijas, la animaron a viajar a América, donde las oportunidades eran mayores y abundaban los hombres.

A principios de mayo de 1930, en un ejemplo clásico de «migración en cadena», Mary embarcó en el RMS *Transylvania* para unirse a dos de sus hermanas, que ya se habían establecido en los Estados Unidos. A pesar de su condición de sirvienta doméstica, como anglosajona blanca, a Mary se le habría permitido entrar en el país incluso bajo las draconianas nuevas normas de inmigración de su hijo, impuestas casi noventa años después. Cumplió dieciocho años el día antes de su llegada a Nueva York y conoció a Fred no mucho después.

Fred y Mary se casaron un sábado de enero en 1936. Después de una recepción en el Hotel Carlyle de Manhattan, pasaron una noche de luna de miel en Atlantic City. El lunes por la mañana, Fred ya estaba de vuelta en su oficina de Brooklyn.

La pareja se mudó a su primera casa en Wareham Road, justo al final de la calle en la que estaba la casa de Devonshire Road que Fred había compartido con su madre. En esos primeros años, a Mary todavía le asombraba su cambio de fortuna, tanto financiera como social. En lugar de *ser* parte del servicio doméstico, *tenía* servicio doméstico; en lugar de competir por los recursos limitados, era la mujer de la casa. Con tiempo libre para ser voluntaria y dinero para comprar, nunca miró atrás, lo que quizás explica por qué era rápida para juzgar a otros de procedencia y circunstancias similares. Ella y Fred llevaron una vida completamente convencional con roles estrictamente definidos para el marido y la mujer. Él dirigía su negocio, lo que ocasionaba que pasara en Brooklyn diez, a veces doce, horas al día, seis días a la semana. Ella se encargaba de la casa, pero él era el que mandaba y, al menos al principio, su madre también. Elizabeth era una suegra intimidante que, durante los primeros años de matrimonio de su hijo, se aseguró de que Mary entendiera quién estaba realmente al mando: usaba guantes blancos cuando la visitaba, para poner en guardia a Mary respecto a las expectativas que tenía sobre la administración de la casa por parte de su nuera, lo que debió de parecer una burla, no tan sutil, sobre su último empleo.

A pesar de las jugarretas de Elizabeth, esos primeros años fueron una época de gran energía y posibilidades para Fred y Mary. Fred bajaba silbando las escaleras de camino al trabajo, y cuando regrasaba por la noche, subía silbando a su habitación, donde se ponía una camisa limpia para la cena.

Mary y Fred no habían discutido los nombres de sus hijos, así que cuando nació su primer bebé, una niña, la llamaron Maryanne, combinando el primer y segundo nombre de Mary. El primer hijo de la pareja nació un año y medio después, el 14 de octubre de 1938, y se llamó como su padre, con un pequeño cambio: Fred padre tenía por segundo nombre Christ, el apellido de soltera de su madre; su hijo se llamaría Frederick Crist. Excepto su padre, todos lo llamaban Freddy.

Parece que Fred trazó el futuro de su hijo antes de que naciera. Aunque mientras crecía sintió la carga de las expectativas puestas en él, Freddy se benefició desde el principio de su estatus de una manera que no fue posible para Maryanne y los otros niños. Después de todo, ocupaba un lugar especial en los planes de su padre: sería el medio a través del cual el imperio Trump se expandiría y prosperaría para siempre.

Pasaron tres años y medio antes de que Mary diera a luz a otra hija. Poco antes de la llegada de Elizabeth, Fred se fue a trabajar a Virginia Beach durante un largo período. La escasez de viviendas, resultado de la vuelta a casa de los soldados de servicio durante la Segunda Guerra Mundial, le dio la oportunidad de construir apartamentos para el personal de la Marina y sus familias. Fred había tenido tiempo para afinar sus habilidades y ganar la reputación que le dio el trabajo, porque mientras otros hombres aptos se habían alistado, él había elegido no hacerlo, siguiendo así los pasos de su padre.

Gracias a su creciente experiencia en la construcción simultánea de multitud de casas y a su habilidad inherente en el uso de los medios de comunicación locales para sus propios fines, a Fred le presentaron a políticos con buenos contactos y aprendió a través de ellos cómo pedir favores en el momento adecuado, y, lo más importante, a perseguir el dinero del Gobierno. El atractivo de Virginia Beach, donde Fred aprendió la ventaja de construir su imperio inmobiliario con donaciones del Gobierno, fue la generosa financiación de la Administración Federal de la Vivienda (FHA por sus siglas en inglés). Fundada en 1934 por el presidente Franklin D. Roosevelt, la FHA parecía haberse alejado de su mandato original para cuando Fred comenzó a aprovechar su generosidad. Su principal propósito había sido asegurar que se construyeran suficientes viviendas asequibles para la población en constante crecimiento del país. Después de la Segunda Guerra Mundial, la FHA parecía igualmente preocupada por enriquecer a los promotores inmobiliarios como Fred Trump.

El proyecto en Virginia fue también una oportunidad para perfeccionar la experiencia que había comenzado a adquirir en Brooklyn: llevar a cabo proyectos de mayor escala de la manera más rápida, eficiente y barata posible y, al mismo tiempo, hacerlos atractivos para los inquilinos. Cuando el viaje de ida y vuelta a Queens se hizo demasiado incómodo, Fred trasladó a toda la familia a Virginia Beach, siendo Elizabeth todavía una niña.

Desde la perspectiva de Mary, aparte de encontrarse en un entorno desconocido, las cosas eran muy parecidas en Virginia a lo que habían sido en Jamaica Estates. Fred trabajaba largas horas y la dejaba sola con tres niños menores de seis años. Su vida social giraba en torno a las personas con las que trabajaba o a las personas cuyos servicios necesitaba. En 1944, cuando los fondos de la FHA que financiaban los proyectos de Fred se agotaron, la familia volvió a Nueva York.

Una vez de regreso en Jamaica Estates, Mary sufrió un aborto espontáneo, una situación médica grave de la que tardó meses en recuperarse del todo. Los médicos le advirtieron que no se quedara embarazada, pero Mary se quedó encinta de nuevo un año después. El aborto espontáneo creó grandes diferencias de edad entre los niños mayores y los menores, con Elizabeth flotando en el medio, casi cuatro años menor o mayor que sus dos hermanos más cercanos. Maryanne y Freddy eran tan mayores respecto a los hijos más pequeños que era casi como si pertenecieran a dos generaciones diferentes.

Donald, el cuarto vástago de la pareja y el segundo hijo varón, nació en 1946, justo cuando Fred comenzaba con los planes para una nueva casa familiar. Compró un terreno de 2000 metros cuadrados, directamente detrás de la casa de Wareham Road, situada en una colina con vistas a Midland Parkway, una amplia vía arbolada que atraviesa todo el vecindario. Cuando los niños se enteraron de la inminente mudanza, bromearon con que no necesitaban alquilar un camión de mudanzas; podían simplemente hacer rodar sus pertenencias colina abajo.

Con más de trescientos setenta metros cuadrados, la Casa era la residencia más impresionante de la manzana, pero aun así era más pequeña y menos lujosa que muchas de las mansiones que dominaban las colinas en la parte norte del vecindario. Situada en lo alto de una colina, por la tarde la Casa proyectaba sombras sobre los anchos escalones de piedra que llevaban de la acera a la puerta principal, una entrada que solo usábamos en ocasiones especiales. Las estatuillas de jinetes del jardín, recordatorios racistas de la era de Jim Crow, primero fueron pintados de rosa y luego reemplazados por flores. El falso escudo de armas del frontón que había sobre la puerta principal fue conservado.

Aunque Queens llegaría a ser uno de los lugares más diversos del planeta, en la década de 1940, cuando mi abuelo compró el terreno y construyó la imponente edificación colonial georgiana de ladrillos rojos con columnas de seis metros, el distrito era blanco en un 95%. El barrio de clase media alta de Jamaica Estates era aún más blanco. Cuando la primera familia italoamericana se mudó al barrio en los años 50, Fred se escandalizó. En 1947, Fred se embarcó en el proyecto a gran escala más importante de su carrera hasta ese momento: Shore Haven, un complejo propuesto en Bensonhurst, Brooklyn, que comprendía treinta y dos edificios de seis plantas y un centro comercial de más de 120.000 metros cuadrados. El imán esta vez fueron los 9 millones de dólares en fondos de la FHA que pagarían directamente a Fred, del mismo modo en que Donald capitalizaría más tarde las exenciones fiscales que le prodigaron tanto la ciudad como el Estado. Fred había descrito previamente al tipo de personas que alquilaban los 2201 apartamentos como «malsanos», lo que implicaba que la gente honrada tan solo vivía en las viviendas unifamiliares que habían sido su primera especialidad. Pero 9 millones de dólares pueden ser muy persuasivos. En ese momento, cuando se hizo evidente que la fortuna de Fred continuaría creciendo, él y su madre crearon fondos fiduciarios para sus hijos y así proteger el dinero de los impuestos.

Aunque era un autócrata de mano dura en su casa y en su oficina, Fred se había convertido en un experto en acceder y doblegarse a hombres más poderosos y con mejores contactos. No sé cómo adquirió dicha habilidad, pero más tarde se la transmitiría a Donald. Con el tiempo, desarrolló lazos con los líderes del Partido Demócrata de Brooklyn, la maquinaria política del Estado de Nueva York y el Gobierno federal, muchos de los cuales eran importantes piezas clave en la industria de los bienes raíces. Si conseguir financiación significaba adular a los políticos locales que manejaban los hilos de la bolsa de la FHA, así se haría. Se unió a un exclusivo club de playa en la costa sur de Long Island y más tarde al North Hills Country Club. Ambos eran lugares que consideraba excelentes para entretener, impresionar y codearse con los hombres mejor situados para canalizar los fondos del Gobierno a su manera, tal como lo haría Donald en Le Club de Nueva York en la década de 1970 y en los clubes de golf de todo el mundo.

De la misma forma en que más tarde se alegó que Donald tenía relación con la Trump Tower y sus casinos en Atlantic City, se dijo que Fred trabajó discretamente con el crimen organizado para mantener la paz.

Cuando le dieron luz verde para otro proyecto —Beach Haven, un complejo de veintitrés edificios en 160.000 metros cuadrados, en Coney Island, que le reportaría 16 millones de dólares en fondos de la FHA—, quedó claro que su estrategia de construir con el dinero de los contribuyentes era la acertada.

Aunque el negocio de Fred se construyó sobre la base de la financiación del Gobierno, detestaba pagar impuestos y habría hecho cualquier cosa para evitarlo. En el apogeo de las expansiones de su imperio, nunca gastó un centavo de más, y *nunca* contrajo deudas, un imperativo que no se extendería a sus hijos. Limitado por la mentalidad de escasez, fruto de la Primera Guerra Mundial y la Depresión, las propiedades de Fred estaban libres de deuda. Los beneficios que su compañía generaba con las rentas eran enormes. En relación con su patrimonio neto, Fred, cuyos hijos decían que «era mas agarrado que una garrapata», vivía una vida relativamente modesta. A pesar de las lecciones de piano y los campamentos de verano privados —una muestra de la noción que tenía de lo que se esperaba de un hombre de su posición en la vida— sus dos hijos mayores crecieron sintiéndose «blancos pobres». Maryanne y Freddy caminaban los quince minutos que había hasta la Escuela Pública 131, y cuando querían ir a la «ciudad», que es como todos los de los barrios periféricos de Nueva York se refieren a Manhattan, tomaban el metro desde la calle 169. Por supuesto, no eran pobres, y aparte de algunos problemas de joven después de la muerte de su padre, Fred tampoco lo había sido nunca.

La riqueza de Fred le dio la posibilidad de vivir en cualquier sitio, pero pasó la mayor parte de su vida adulta a menos de veinte minutos de donde había crecido. Con la excepción de algunos fines de semana en Cuba con Mary, en los primeros tiempos de su matrimonio, nunca salió del país. Después de completar el proyecto en Virginia, rara vez dejaba la ciudad de Nueva York.

Su imperio comercial, aunque grande y lucrativo, era igualmente provincial. El número de edificios que llegó a poseer superaba las cuatro docenas, pero los edificios en sí tenían relativamente pocas plantas y eran uniformemente utilitarios. Sus propiedades estaban casi exclusivamente en

Brooklyn y Queens. El brillo, el glamour y la diversidad de Manhattan bien podrían haber estado en otro continente en lo que a él respectaba, y en esos primeros años, parecía igual de lejos.

Cuando la familia se mudó a la Casa, todos en el vecindario sabían quién era Fred Trump, y Mary aceptó su papel de esposa de un rico e influyente hombre de negocios. Se involucró mucho en obras de caridad, como en el cuerpo auxiliar femenino del Hospital Jamaica y en la guardería Jamaica Day Nursery, presidió almuerzos y asistió a galas para recaudar fondos.

No importaba el éxito de la pareja, tanto Fred como Mary mantenían cierta tensión entre sus aspiraciones y sus instintos. En el caso de Mary, era probablemente el resultado de una niñez marcada por la escasez, si no por la total privación, y en el de Fred, una cautela derivada de la pérdida masiva de vidas, incluyendo la de su padre, durante la gripe española y la Primera Guerra Mundial, así como la incertidumbre económica que su familia había experimentado tras la muerte de su padre. A pesar de los millones de dólares que recibía de Trump Management cada año, Fred no podía resistirse a recoger clavos sin usar o a aplicar ingeniería inversa para obtener un pesticida más barato. A pesar de la facilidad con la que Mary aceptó su nuevo estatus y las ventajas que lo acompañaban, incluyendo la asistencia doméstica, pasaba la mayor parte del tiempo en casa, cosiendo, cocinando y lavando la ropa. Era como si ninguno de los dos pudiera encontrar la manera de reconciliar lo que podían tener y lo que realmente se permitían.

Aunque frugal, Fred no era ni modesto ni humilde. Al principio de su carrera, había mentido sobre su edad para parecer más precoz. Tenía propensión al espectáculo, y a menudo hablaba con hipérboles, todo era «genial», «fantástico» y «perfecto». Inundó los periódicos locales con comunicados de prensa sobre sus casas recién acabadas y dio numerosas entrevistas ensalzando las virtudes de sus propiedades. Llenó el sur de Brooklyn con propaganda comercial y contrató una barcaza cubierta de anuncios para que flotara junto a la costa. Pero no era tan bueno en ello como lo sería Donald. Podía interactuar uno a uno y ganarse el favor de sus superiores con buenas conexiones políticas, pero hablar frente a grandes grupos o lucirse en entrevistas de televisión estaba fuera de su alcance. Asistió a un curso de oratoria de Dale Carnegie, pero era tan malo que incluso sus hijos, normalmente obedientes, se burlaban de él. Así como algunas personas tienen aptitudes para la radio, el nivel de confianza social de Fred funcionaba en las trastiendas y los medios de comunicación impresos. Ese hecho influyó significativamente en su posterior apoyo a su segundo hijo a expensas del primero.

Cuando Fred oyó hablar de Norman Vincent Peale en la década de 1950, el mensaje superficial de autosuficiencia de Peale le atrajo enormemente. Pastor de la Marble Collegiate Church en el centro de Manhattan, Peale era muy aficionado a los hombres de negocios de éxito. «Ser un comerciante no es recibir dinero», escribió. «Ser un comerciante es servir al pueblo». Peale era un charlatán, pero era un charlatán que dirigía una iglesia rica y poderosa, y tenía un mensaje que vender. Fred no era un gran lector, pero era imposible no conocer el popular éxito de ventas de Peale, *El poder del pensamiento positivo*. El título por sí solo era suficiente para Fred, y decidió unirse a la Marble Collegiate, aunque él y su familia rara vez asistían.

Fred ya tenía una actitud positiva y una fe ilimitada en sí mismo. Aunque podía ser serio y formal, o desdeñar a gente como los amigos de sus hijos, que no le interesaban, sonreía con facilidad, incluso cuando le decía a alguien que no era de su agrado, y normalmente estaba de buen humor. Tenía motivos para estarlo: en su mundo tenía el control de todo. Con la excepción de la muerte de su padre, el curso de su vida había sido bastante tranquilo y lleno del apoyo de su familia y colegas. Desde sus primeros días construyendo garajes, su éxito había seguido una trayectoria casi siempre ascendente. Trabajó duro, pero a diferencia de la mayoría de la gente que trabaja duro, fue recompensado con subvenciones del Gobierno, la ayuda casi ilimitada de compinches con muchos contactos, y una inmensa buena suerte. Fred no necesitaba leer *El poder del pensamiento positivo* para apropiarse, para sus objetivos, de los aspectos más superficiales y egoístas del mensaje de Peale.

Anticipando el evangelio de la prosperidad, la doctrina de Peale proclamaba que solo se necesita confianza en uno mismo para prosperar como Dios quiere. «No permitas que los obstáculos destruyan tu felicidad y bienestar. Solo puedes ser derrotado si lo deseas», escribió Peale. Ese punto de vista confirmó claramente lo que Fred ya pensaba: era rico porque merecía serlo. «¡Cree en ti mismo! Ten fe en tus habilidades!... Un sentido de inferioridad e inadecuación interfiere con el logro de tus deseos, pero la confianza en ti mismo te lleva a la autorrealización y a alcanzar el éxito». La duda no formaba parte de la constitución de Fred, y nunca consideró la posibilidad de su propia derrota. Como Peale también escribió: «Es terrible darse cuenta de la cantidad de personas patéticas que se ven obstaculizadas y son miserables por la enfermedad popularmente conocida como complejo de inferioridad».

El evangelio de la protoprosperidad de Peale en realidad complementaba la mentalidad de escasez a la que Fred se seguía aferrando. Para él, no era «Cuanto más tienes, más puedes dar». Era «Cuanto más tienes, más tienes». El valor financiero era lo mismo que la autoestima, el valor monetario era el valor humano. Cuanto más tenía Fred Trump, mejor era. Si le daba algo a alguien más, esa persona valdría más y él menos. Le transmitió esa actitud a Donald con creces.

CAPÍTULO DOS

El primer hijo

El estatus de Freddy como hijo mayor de la familia, había pasado de protegerlo de los peores impulsos de Fred como padre, a ser una carga inmensa y estresante. A medida que crecía, se dividía entre la responsabilidad que su padre había puesto en él y su inclinación natural a vivir la vida a su manera. Fred no tenía ninguna duda: su hijo debía pasar más tiempo en la oficina de Trump Management en la Avenida Z, y no con sus amigos en Peconic Bay, donde aprendió a adorar la navegación, la pesca y el esquí acuático. Cuando Freddy era adolescente, sabía lo que le esperaba en el futuro y sabía lo que su padre esperaba de él. También sabía que no estaba a la altura. Sus amigos se dieron cuenta de que su amigo, normalmente relajado y amante de la diversión, se convertía en alguien ansioso y cohibido alrededor de Fred, a quien Freddy y sus amigos llamaban «el viejo». De complexión sólida y más de metro ochenta y cinco de altura, Fred era una figura imponente, con el pelo peinado hacia atrás y con entradas, que raramente llevaba otra cosa que no fuera un traje de tres piezas de buena confección. Era rígido y formal con los niños, nunca jugaba a la pelota o a ningún tipo de juego con ellos, y parecía que nunca hubiera sido joven.

Si los chicos estaban jugando a la pelota en el sótano, el sonido de la puerta del garaje al abrirse era suficiente para que Freddy se quedara paralizado. «¡Parad! Mi padre está en casa». Cuando Fred entraba en la habitación, los chicos sentían el impulso de ponerse de pie y saludarlo.

—¿Qué hacéis? —preguntaba mientras estrechaba la mano de cada chico.

—Nada, papá —decía Freddy—. Ya se iban.

Freddy permanecía callado y en alerta máxima mientras el viejo estaba en casa.

En su adolescencia, Freddy comenzó a mentirle a su padre sobre su vida fuera de casa para evitar la burla o la desaprobación que sabía que la verdad conllevaría. Mentía sobre lo que él y sus amigos hacían después de clase. Mentía acerca de fumar, un hábito que Maryanne le inculcó cuando él tenía doce y ella trece años, diciéndole a su padre que iba a dar la vuelta a la esquina para ayudar a su mejor amigo, Billy Drake, a pasear un perro inexistente. Fred, por ejemplo, no se enteró de que Freddy y su amigo Homer del colegio St. Paul habían robado un coche fúnebre para dar un paseo. Antes de devolver el vehículo a la funeraria, Freddy se detuvo en una gasolinera para llenar el depósito. Al salir del coche y caminar hacia el surtidor, Homer, que estaba tumbado en la parte de atrás para ver cómo era, se sentó. Un hombre que estaba en el surtidor que quedaba frente a ellos, pensando que acababa de ver un cadáver levantándose de entre los muertos, gritó, y Freddy y Homer se rieron hasta que lloraron de risa. A Freddy le encantaban ese tipo de bromas, pero solo les contaba a sus hermanos y hermanas sus hazañas si su padre no estaba en casa.

Para algunos de los niños Trump, mentir era una forma de vida, y para el hijo mayor de Fred, la mentira era defensiva, no solo una forma de evitar la desaprobación de su padre o el castigo, como lo era para los demás, sino una forma de sobrevivir. Maryanne, por ejemplo, nunca fue en contra de su padre, quizás por miedo a un castigo ordinario como ser enviada a su habitación. Para Donald, la mentira era principalmente un modo de auto engrandecimiento para convencer a los demás de que era mejor de lo que realmente era. Para Freddy, las consecuencias de ir en contra de su padre eran diferentes no solo en grado sino en tipo, así que la mentira se convirtió en su única defensa contra los intentos de su padre de suprimir su sentido natural del humor, de la aventura y su sensibilidad.

Las ideas de Peale sobre los complejos de inferioridad ayudaron a moldear la severa opinión que Fred tenía sobre Freddy, a la vez que le permitieron evadir su responsabilidad por cualquiera de sus hijos. La debilidad era quizás el mayor pecado de todos, y a Fred le preocupaba que Freddy se pareciera más a su propio hermano, John, el profesor del MIT: blando y, aunque no poco ambicioso, interesado en las cosas equivocadas, como la ingeniería y la física, que Fred encontraba esotéricas y sin importancia. Tal debilidad era impensable en su tocayo, y para cuando la familia se mudó a la Casa, cuando Freddy tenía diez años, Fred ya había decidido hacerle más duro. Sin embargo, como la mayoría de la gente que no presta atención hacia dónde se dirige, se sobrepasó con las correcciones.

—Eso es una estupidez —decía Fred cuando Freddy expresaba su deseo de tener una mascota o gastaba una broma pesada—. ¿Para qué quieres hacer eso? —decía Fred con tal desprecio en la voz que hacía que Freddy se estremeciera, lo que solo molestaba aún más a Fred. Fred odiaba que su hijo mayor metiera la pata o no intuyera lo que se le pedía, pero lo odiaba aún más cuando, después de ser reprendido, Freddy se disculpaba.

—Lo siento, papá —se burlaba Fred de él. Fred quería que su hijo mayor fuera «implacable», según sus propias palabras (por qué razón lo quería es imposible de decir, ya que cobrar el alquiler en Coney Island no era exactamente una actividad de alto riesgo en los años cincuenta), y él era, en cuanto a temperamento, lo opuesto a eso.

Ser implacable significaba en realidad ser invulnerable. Aunque a Fred pareció no afectarle la muerte de su padre, lo repentina que fue, lo tomó por sorpresa y lo desequilibró. Años más tarde, al hablar de ello, dijo:

—Y entonces murió. Así de simple. No parecía real. No me afectó mucho. Así son los niños. Pero me molestó ver llorar a mi madre y que estuviera tan triste. Fue verla a ella lo que me hizo sentir mal, no mis propios sentimientos por lo que había sucedido.

La pérdida, en otras palabras, lo había hecho sentir vulnerable, no por sus propios sentimientos, sino por los de su madre, que probablemente sintió que se le imponían, especialmente porque no los compartía. Esa imposición debió de ser muy dolorosa. En ese momento, él no era el centro del universo, y eso era inaceptable. Más adelante, se negó a reconocer o sentir la pérdida. (Nunca lo escuché a él ni a nadie de mi familia hablar de mi bisabuelo.) En lo que se refiere a Fred, pudo seguir adelante porque no había perdido nada particularmente importante para él.

A pesar de que Fred se suscribió a las ideas de Norman Vincent Peale sobre los errores humanos, no entendió que al ridiculizar y cuestionar a Freddy estaba creando una situación en la que la baja autoestima era casi inevitable. Fred le decía simultáneamente a su hijo que tenía que tener un éxito rotundo y que nunca podría alcanzarlo. Así que Freddy existía en un sistema que era todo castigo, sin ninguna recompensa. Los otros niños, especialmente Donald, no pudieron evitar darse cuenta.

La situación era algo diferente para Donald. Gracias al beneficio de una diferencia de edad de siete años y medio, tuvo mucho tiempo para aprender de las humillaciones que sufría su hermano mayor, por parte de Fred, y la vergüenza de Freddy como resultado. La lección que aprendió, en su forma más simple, fue que estaba mal ser como Freddy: Fred no respetaba a su hijo mayor, así que tampoco lo haría Donald. Fred creía que Freddy era débil, y por lo tanto también lo creía Donald. Pasaría mucho tiempo antes de que los dos hermanos, de maneras muy diferentes, llegaran a adaptarse a esta verdad.

Es difícil entender lo que pasa en cualquier familia, tal vez sea más difícil incluso para las personas que forman parte de ella. Con independencia de cómo un padre trata a un niño, es casi imposible que ese niño crea que ese padre quiere hacerle daño. Lo más fácil para Freddy era pensar que su padre quería lo mejor para su hijo, y que él mismo era el problema. En otras palabras, proteger su amor por su padre era más importante que protegerse a sí mismo del maltrato. Donald asumió la forma en que su padre trataba a su hermano como algo normal:

—Papá no está intentando hacer daño a Freddy. Solo intenta enseñarnos a ser hombres de verdad. Y Freddy está fracasando.

El maltrato puede ser silencioso e insidioso con la misma frecuencia, o incluso más a menudo, que ser ruidoso y violento. Por lo que sé, mi abuelo no era un hombre físicamente violento, ni siquiera particularmente dado a enfados. No necesitaba serlo. Esperaba conseguir lo que quería y casi siempre lo conseguía. No era su incapacidad para arreglar a su hijo mayor lo que lo enfurecía, era el hecho de que Freddy simplemente no era lo que quería que fuera. Fred desmanteló a su hijo mayor devaluando y degradando cada aspecto de su personalidad y de sus habilidades naturales hasta que todo lo que quedó fue la autorecriminación y una desesperada necesidad de complacer a un hombre que no encontraba ninguna utilidad en él.

La única razón por la que Donald escapó del mismo destino fue que su personalidad servía al propósito de su padre. Eso es lo que hacen los sociópatas: se apropian de otros y los usan para sus propios fines sin piedad y con eficiencia, sin tolerar la disidencia o la resistencia. Fred también destruyó a Donald, pero no lo extinguió como hizo con Freddy, sino que arruinó la capacidad de Donald para desarrollar y experimentar todo el espectro de las emociones humanas. Al limitar el acceso de Donald a sus propios sentimientos y hacer que muchos de ellos fueran inaceptables, Fred corrompió la percepción del mundo de su hijo y dañó su capacidad de vivir en él. Su capacidad para ser su propia persona, en lugar de ser una extensión de las ambiciones de su padre, se vio gravemente limitada. Las implicaciones de esa limitación se hicieron más claras cuando Donald empezó el colegio. Ninguno de sus padres había interactuado con él de una manera que le ayudara a dar sentido a su mundo, lo cual contribuyó a su incapacidad de llevarse bien con otras personas y permaneció como un amortiguador constante entre él y sus hermanos. También hizo que leer las señales sociales fuera extremadamente difícil, si no imposible, para él, un problema que sigue arrastrando a día de hoy.

Idealmente, las reglas en casa reflejan las normas de la sociedad, de tal modo que cuando los niños salen al mundo, por lo general, saben cómo comportarse. Cuando los niños van al colegio, se supone que saben que no deben apropiarse de los juguetes de otros niños y que no deben pegar o molestar a otros niños. Donald no entendía nada de eso porque las reglas de la Casa, al menos tal como se les aplicaban a los chicos —ser duro a toda costa y mentir está bien, admitir que te equivocas o disculparse es de débiles— chocaban con las normas que encontró en el colegio. Las creencias fundamentales de Fred acerca de cómo funcionaba el mundo —en la vida solo puede haber un ganador y todos los demás son perdedores (una idea que esencialmente excluía la capacidad de compartir) y la bondad es debilidad— eran claras. Donald sabía, porque lo había visto con Freddy, que el incumplimiento de las reglas de su padre era castigado con una severa y a menudo pública humillación, por lo que continuó adhiriéndose a ellas incluso fuera del ámbito de alcance de su padre. No es de extrañar que su comprensión del «bien» y del «mal» chocara con las lecciones que se enseñaban en la mayoría de las escuelas primarias.

La creciente arrogancia de Donald, en parte una defensa contra sus sentimientos de abandono y un antídoto a su falta de autoestima, sirvió como una coraza protectora para sus cada vez más profundas inseguridades. Como resultado, fue capaz de mantener a la mayoría de la gente a distancia. Para él era más fácil así. La vida en la Casa hacía que todos los niños se sintieran incómodos con las emociones, ya fuera expresándolas o enfrentándose a ellas. Es probable que fuera peor para los chicos, para quienes el rango aceptable de sentimientos humanos era extremadamente estrecho. (Nunca he visto a ningún hombre de mi familia llorar o expresar afecto por otro de otra manera que no fuera el apretón de manos que abría y cerraba cualquier encuentro). Acercarse a otros niños o a figuras de autoridad puede que pareciera una peligrosa traición a su padre. Sin embargo, las muestras de confianza de Donald, su creencia de que las reglas de la sociedad no se aplicaban a él y su exagerado despliegue de autoestima atrajeron a algunas personas hacia él. Una gran minoría de personas aún confunde su arrogancia con fuerza, su falsa bravuconería con éxito y su interés superficial en ellos con el carisma.

Donald había descubierto desde el principio lo fácil que era meterse con Robert y empujarlo más allá de sus límites. Era un juego del que nunca se cansaba. Nadie más se habría molestado —Robert era tan flaco y tranquilo que no era una gran hazaña atormentarlo—, pero Donald disfrutaba exhibiendo su poder, aunque solo fuera sobre su hermano más joven, más pequeño y de piel aún más fina. Una vez, por frustración e impotencia, Robert asestó una patada a la puerta de su baño e hizo un boquete, y esto le ocasionó problemas a pesar de que Donald lo había llevado a ello. Cuando su madre le dijo a Donald que parara, no lo hizo; cuando Maryanne y Freddy le dijeron que parara, no lo hizo.

Una Navidad, los niños recibieron tres camiones Tonka, que pronto se convirtieron en los juguetes favoritos de Robert. Tan pronto como Donald se dio cuenta, empezó a esconderlos de su hermano pequeño y a fingir que no tenía ni idea de dónde estaban. La última vez que esto sucedió, cuando la rabieta de Robert se descontroló, Donald amenazó con desmontar los camiones que tenía delante si no dejaba de llorar. Desesperado por salvarlos, Robert corrió hacia su madre. La solución de Mary fue esconder los camiones en el desván, castigando de esa forma a Robert, que no había hecho nada malo, y dejando que Donald se sintiera invencible. Aún no estaba siendo recompensado por su egoísmo, obstinación o crueldad, pero tampoco estaba siendo castigado por esos defectos.

Mary siguió siendo una mera espectadora. No intervino en aquel momento y no consoló a su hijo, actuó como si no le correspondiera hacerlo. Incluso en los años 50, la familia estaba profundamente dividida por razones de género. A pesar de que la madre de Fred había sido su socia (literalmente había empezado su negocio), está claro que Fred y su esposa nunca fueron socios. Las niñas eran de la incumbencia de ella, los niños de la de él. Cuando Mary hacía su viaje anual a la isla de Lewis, solo la acompañaban Maryanne y Elizabeth. Mary cocinaba la comida de los chicos y lavaba su ropa, pero no sentía que fuera cosa suya guiarlos. Rara vez interactuaba con los amigos de los chicos, y sus relaciones con sus hijos, ya estropeadas por sus primeras experiencias con ella, se volvieron cada vez más distantes.

Cuando Freddy, a los catorce años, volcó un tazón de puré de patatas en la cabeza de su hermano, que en aquel entonces tenía siete años, hirió tan profundamente el orgullo de Donald que todavía le molestó cuando Maryanne lo mencionó en su brindis en la cena de cumpleaños de la Casa Blanca en 2017. El incidente no fue un gran problema, o no debería haberlo sido. Donald había estado atormentando a Robert, una vez más, y nadie pudo hacer que parara. Incluso a los siete años, no sentía la necesidad de escuchar a su madre, a quien, tras fallar en arreglar la ruptura entre ellos después de su enfermedad, él trataba con desprecio. Al final, el llanto de Robert y las provocaciones de Donald fueron demasiado, y en un momento de improvisada conveniencia que se convertiría en leyenda familiar, Freddy cogió lo primero que encontró a mano que no causaría ningún daño real: el bol de puré de patatas.

Todos se rieron, y no pudieron dejar de reírse. Y se reían *de* Donald. Fue la primera vez que Donald fue humillado por alguien que incluso ya entonces creía que estaba por debajo de él. No había entendido que la humillación era un arma que solo podía ser empuñada por una persona en una pelea. Que Freddy, de entre todas las personas, pudiera arrastrarlo a un mundo donde la humillación pudiera sucederle a *él* lo hizo todo mucho peor. A partir de entonces, nunca se permitiría experimentar ese sentimiento de nuevo. A partir de entonces, empuñaría el arma, nunca se situaría en el extremo afilado de la misma.

CAPÍTULO TRES

El gran Yo Soy...

Cuando Maryanne ingresó en la Universidad Mount Holyoke y, un par de años más tarde, Freddy en la de Lehigh, Donald ya había acumulado mucha experiencia viendo a su hermano mayor enfrentarse, y en gran medida no cumplir, con las expectativas de su padre. Estas expectativas eran vagas, por supuesto. Fred tenía el hábito autoritario de asumir que sus subordinados sabían qué hacer sin que se les dijera. Por lo general, la única manera de saber si estabas haciendo algo bien era que no te soltara una bronca por ello.

Pero una cosa era que Donald se mantuviera alejado de la mira de su padre y otra que buscara caerle en gracia. Con ese fin, Donald casi erradicó cualquier cualidad que pudiera haber compartido con su hermano mayor. Excepto por las ocasionales escapadas de pesca con Freddy y sus amigos, Donald se convirtió en asiduo de los clubes de campo y las oficinas, el golf era la única cosa en la que él y su padre diferían. También duplicó los comportamientos por los que hasta el momento no había recibido castigo: intimidar, señalar con el dedo, negarse a asumir la responsabilidad, y hacer caso omiso de la autoridad. Él dice que «hizo retroceder» a su padre y Fred «respetó» eso. Lo cierto es que fue capaz de hacer retroceder a su padre porque Fred lo dejó. Cuando era muy joven, la atención de Fred no se centraba en él, sino en sus negocios y en su hijo mayor, eso es todo. Con el tiempo, cuando Donald asistió a la escuela militar a los trece años, Fred comenzó a admirar el desprecio de Donald por la autoridad. Aunque era un padre estricto en general, Fred aceptó la arrogancia y la intimidación de Donald, una vez que empezó a percibirlas, porque se identificó con esos impulsos.

Alentado por su padre, Donald acabó por empezar a creerse su propia grandeza. A los doce años, la comisura derecha de su boca se alzaba en una mueca burlona casi perpetua de superioridad consciente, y Freddy lo apodó «el gran Yo Soy», haciéndose eco de un pasaje del Éxodo que había aprendido en la escuela dominical en el que Dios se revela por primera vez a Moisés.

Debido a las desastrosas circunstancias en las que fue criado, Donald supo intuitivamente, basándose en mucha experiencia, que nunca sería consolado o calmado, especialmente cuando más lo necesitase. No tenía sentido, entonces, actuar como un necesitado. Y lo supiera o no a cualquier nivel, ninguno de sus padres iba a verle como realmente era o podría haber sido —Mary estaba demasiado exhausta y Fred solo estaba interesado en cualquiera de sus hijos que pudiera serle de mayor utilidad— así que se convirtió en lo más conveniente. La personalidad rígida que desarrolló como resultado fue una armadura que a menudo lo protegió contra el dolor y la pérdida. Pero también le impidió averiguar cómo confiar en la gente lo suficiente como para acercarse a ellos.

A Freddy le aterrorizaba pedirle algo a Fred. Donald había visto los resultados de esa reticencia. Cada vez que Freddy se desviaba, aunque fuera ligeramente de las expectativas de Fred, terminaba humillado o avergonzado. Donald intentó algo diferente: eligió en su lugar congraciarse con su padre rompiendo todas las barreras que su hermano mayor nunca se atrevió a probar. Sabía exactamente cómo hacerlo: cuando Freddy se estremecía, Donald se encogía de hombros. Tomó lo que quiso sin pedir permiso, no porque fuera valiente, sino porque tenía miedo de no hacerlo. Tanto si Donald entendía el mensaje subyacente como si no, Fred lo hacía: en la familia, como en la vida, solo podía haber un ganador. Todos los demás tenían que perder. Freddy siguió intentando hacer lo correcto y fallando. Donald comenzó a darse cuenta de que no había nada que pudiera hacer mal, así que dejó de intentar hacer algo «correcto». Se volvió más audaz y agresivo porque rara vez era desafiado o responsabilizado por la única persona en el mundo que importaba: su padre. A Fred le gustaba su actitud implacable, incluso si se manifestaba en forma de mal comportamiento.

Todas y cada una de las transgresiones de Donald se convirtieron en un espectáculo para obtener el favor de su padre, como si dijera: «Mira, papá, yo soy el duro. Soy el implacable». Siguió echando más leña al fuego porque no había ninguna resistencia, hasta que la hubo. Pero no vino de su padre.

Aunque el comportamiento de Donald no molestaba a Fred —dadas las largas horas que pasaba en la oficina, no solía estar cerca para presenciar mucho de lo que pasaba en casa—, perturbaba a su madre. Mary no podía controlarlo en absoluto, y Donald siempre la desobedecía. Cualquier intento de disciplina por parte de ella era rechazado. Era respondón. Nunca era capaz de admitir que estaba equivocado, la contradecía incluso cuando ella tenía razón y se negaba a dar su brazo a torcer. Atormentaba a su hermano pequeño y le robaba sus juguetes. Se negaba a hacer sus tareas domésticas o cualquier otra cosa que se le dijera que hiciera. Quizás lo peor de todo, para una mujer meticulosa como ella, es que era un vago que se negaba a ordenar por mucho que ella lo amenazara. «Ya verás cuando tu padre vuelva a casa» había sido una amenaza efectiva con Freddy, pero para Donald era una broma en la que su padre parecía estar involucrado.

Al final, para 1959, el mal comportamiento de Donald —peleas, intimidaciones, discusiones con los profesores— había llegado demasiado lejos. Kew-Forest había llegado al límite. El hecho de que Fred estuviera en el consejo de administración del colegio tuvo dos consecuencias: por un lado, el comportamiento de Donald se había pasado por alto durante más tiempo del que hubiera sido normal en otras circunstancias; por otro lado, le causó a Fred algunos inconvenientes. Los insultos y las burlas a los niños demasiado pequeños para defenderse se habían convertido en altercados físicos. A Fred no le importaba que Donald se comportara así, pero se había vuelto indiscreto y le hacía perder mucho tiempo. Cuando uno de sus compañeros de la junta de Kew-Forest recomendó enviar a Donald a la Academia Militar de Nueva York como una forma de frenarle, Fred le siguió la corriente. A lo mejor, obligarle a relacionarse con instructores militares y estudiantes mayores que no lo soportaran podría endurecer aún más a su protegido. Fred tenía cosas más importantes que hacer que ocuparse de Donald.

No sé si Mary tuvo algo que decir en la decisión final, pero tampoco luchó para que su hijo se quedara en casa. Le volvió a fallar, cosa que

Donald no pudo evitar notar. Debió de sentir que era como una repetición de todas las veces que lo había abandonado en el pasado.

A pesar de las objeciones de Donald, fue matriculado en la NYMA, un internado privado para chicos, a más de 90 kilómetros al norte de la ciudad de Nueva York. Los otros niños de la familia se referían a la NYMA como un «reformatorio» (no era tan prestigioso como el St. Paul, al que Freddy había asistido). Nadie enviaba a sus hijos a la NYMA para que obtuvieran una mejor educación, y Donald lo entendió, correctamente, como un castigo.

Cuando Freddy se enteró, les dijo a sus amigos con algo de perplejidad: «Sí, no pueden controlarlo». No tenía ningún sentido. Su padre siempre parecía controlar a *todo el mundo*. Lo que Freddy no entendía era que su padre no estaba interesado en Donald de la misma manera en que estaba interesado en él. Si Fred hubiera intentado disciplinar a Donald, habría sido disciplinado, pero antes de que Donald fuera enviado lejos, Fred no estaba lo suficientemente interesado como para molestarse con Donald o con los otros tres niños.

Los padres siempre tienen diferentes efectos sobre sus hijos, sin importar la dinámica familiar, pero para los niños Trump, los efectos de las patologías particulares de Fred y Mary en su descendencia fueron extremos. A medida que los cinco, en diferentes momentos y de diferentes maneras, se preparaban para salir al mundo, sus desventajas ya eran evidentes:

Maryanne, la primogénita, soportaba la carga de ser una chica inteligente y ambiciosa en una familia misógina. Era la mayor, pero como era mujer, Freddy, el varón de más edad, recibió toda la atención de su padre. A ella se la dejó de lado para que respondiera ante su madre, que no tenía poder en la casa. Como resultado, después de la devastación de ser rechazada por el programa de Economía Doméstica de Dartmouth, se conformó con el Mount Holyoke College, un «casi convento», como lo describía ella. Al final, hizo lo que creía que debía hacer porque pensaba que eso le importaba a su padre.

El problema de Freddy fue su fracaso en conseguir ser una persona completamente diferente.

El problema de Elizabeth era la indiferencia de su familia. No era solo la del medio (y mujer), sino que estaba separada de sus hermanos por ambos lados por una diferencia de edad de tres o cuatro años. Vergonzosa y tímida de adolescente, no hablaba mucho, ya que había aprendido la lección de que ninguno de sus padres la escuchaba de verdad. Aun así, siguió siendo devota de ellos hasta bien entrada la mediana edad, y volvía de visita a la Casa cada fin de semana, todavía esperando la atención de «papi».

El problema de Donald era que la personalidad combativa y rígida que desarrolló para protegerse del terror de su temprano abandono, junto con el hecho de haber sido testigo del maltrato que su padre dispensaba a Freddy, lo alejó de la verdadera conexión humana.

El problema de Robert era ser el más joven, un añadido de último momento.

Nada de lo que hicieran Maryanne, Elizabeth o Robert lograría la aprobación de Fred, no le interesaban. Como planetas que orbitan alrededor de un sol particularmente grande, los cinco se mantenían separados por la fuerza de la voluntad del padre, incluso cuando seguían los caminos que él les marcaba.

Los planes de Freddy para el futuro seguían implicando convertirse en la mano derecha de su padre en Trump Management, pero la primera vez que Freddy despegó de la pista de aterrizaje del club de vuelo Slatington al mando de un Cessna 170 en 1961, su perspectiva cambió.

Mientras cumpliera con las exigencias de su especialidad y tuviera notas altas, podría volar, unirse a una fraternidad y al Cuerpo de Entrenamiento de Oficiales de la Reserva de la Fuerza Aérea de los Estados Unidos (ROTC por sus siglas en inglés). Freddy eligió la Sigma Alpha Mu, una fraternidad históricamente judía. Aunque se tratara de una provocación consciente hacia su padre, quien con frecuencia usaba frases tales como: «regatear como un judío», los compañeros de fraternidad de Freddy acabaron convirtiéndose en algunos de sus mejores amigos. Unirse al ROTC sirvió a otro propósito. Freddy ansiaba una disciplina que tuviera sentido. Prosperó en el transparente sistema de logros y recompensas del ROTC. Si hacías lo que te decían, tu obediencia era reconocida. Si cumplías o superabas las expectativas, eras recompensado. Si cometías un error o fallabas al seguir una orden, recibías un castigo disciplinario acorde con la infracción. Él adoraba la jerarquía, adoraba los uniformes y adoraba las medallas, que eran claros símbolos de sus logros. Cuando llevas un uniforme, otras personas pueden identificar fácilmente quién eres y lo que has logrado, y en consecuencia se te reconoce. Era lo opuesto a la vida con Fred Trump, quien esperaba un buen trabajo, pero nunca otorgaba reconocimiento, solo los errores eran reprochados y castigados.

Sacarse la licencia de piloto era algo similar a lo que le pedían en el ROTC: registras un cierto número de horas, obtienes un certificado para determinados mandos, te dan una licencia. Al final, las lecciones de vuelo se convirtieron en su prioridad número uno. Como navegar, se tomó volar muy en serio y comenzó a saltarse las partidas de cartas con sus compañeros de la fraternidad para estudiar o registrar otra hora en la escuela de vuelo. Pero no era solo el placer de encontrar algo en lo que sobresalía, era el gozo de la libertad total, que nunca antes había experimentado.

Durante el verano, Freddy trabajaba para Fred, como siempre, pero los fines de semana llevaba a sus amigos al este en un bote que había comprado cuando estaba en el instituto para pescar y hacer esquí acuático. En ocasiones, Mary le pedía a Freddy que se llevara a Donald con él.

—Lo siento, chicos —les decía a sus amigos—, pero tengo que llevarme a mi hermano pequeño, es un grano en el culo.

Donald probablemente se mostraba tan entusiasmado como Freddy reacio. Con independencia de lo que su padre pensara de su hermano mayor, estaba claro que los amigos de Freddy lo adoraban y siempre se divertían juntos, una realidad que contradecía lo que Donald había sido educado para creer.

En agosto de 1958, antes del comienzo de su tercer curso, Freddy y Billy Drake volaron a Nassau, en las Bahamas, para pasar unas breves vacaciones antes de que empezaran de nuevo las clases. Los dos alquilaron un barco y se pasaron los días pescando y explorando la isla. Una noche, de vuelta a su hotel, mientras estaban sentados en el bar de la piscina, Freddy conoció a una bonita y menuda rubia llamada Linda Clapp. Dos años después, se casó con ella.

Ese septiembre, Donald ingresó en la NYMA. Pasó de un mundo en el que podía hacer lo que quisiera a uno en el que se enfrentaba a un castigo por no hacer la cama y los estudiantes de último curso lo estampaban contra la pared sin ninguna razón en particular. Tal vez por haber perdido a su propio padre a los doce años, Fred reconoció el aislamiento de su hijo y lo visitó casi todos los fines de semana entre el momento en que Donald comenzó octavo curso y el momento en que se graduó en 1964. Eso mitigó un poco el sentimiento de abandono y agravio de Donald y le proporcionó el primer indicio de que tenía una conexión con su padre de la que su hermano mayor carecía. La madre de Donald iba de vez en cuando, pero en su mayor parte se sentía aliviada de que él no estuviera.

Aunque no quería ir a la NYMA, allí había ciertas cosas que tenían sentido para Donald, igual que el ROTC para Freddy. Había una estructura, y sus acciones tenían consecuencias. Había un sistema lógico de castigo y recompensa. Al mismo tiempo, sin embargo, la vida en la NYMA reforzó una de las lecciones de Fred: la persona que ostenta el poder (sin importar cuán arbitrariamente ese poder fuera conferido o alcanzado) tenía que decidir lo que estaba bien y lo que estaba mal. Cualquier cosa que te ayudara a mantener el poder era por definición correcta, aunque no siempre fuera justa.

La NYMA también reforzó la aversión de Donald a la vulnerabilidad, que es esencial para aprovechar el amor y la creatividad, pero que también puede exponernos a la vergüenza, algo que él no podía tolerar. Por necesidad tuvo que mejorar el control de sus impulsos, no solo para evitar ser castigado, sino para ayudarle a salirse con la suya en transgresiones que requerían un poco más de delicadeza.

El último curso de Freddy fue uno de los mejores y más productivos de toda su vida. La licenciatura en empresariales fue lo de menos. Fue nombrado presidente de Sigma Alpha Mu, completó el ROTC y entró en la Guardia Nacional de la Fuerza Aérea como subteniente después de la graduación. Lo más importante, se convirtió en un piloto comercial con licencia completa, aunque no tenía intención de usar dicha licencia. Iba a trabajar con su padre en Brooklyn con la intención de hacerse cargo del negocio algún día.

Cuando Freddy se unió a Trump Management en el verano de 1960, la compañía de Fred comprendía más de cuarenta edificios y complejos, con miles de apartamentos, repartidos por Brooklyn y Queens. Fred había llevado a su hijo mayor a las obras de construcción durante años. Sus proyectos de mayor calado, incluyendo Shore Haven y Beach Haven en Brooklyn, así como proyectos más pequeños y más cercanos a su casa en Jamaica Estates, se construyeron todos mientras Freddy crecía, entre las décadas de 1940 y 1950. Durante esas visitas le inculcó la importancia de reducir los costes (si es más barato, hazlo tú mismo; si no, subcontrata) y de ahorrar en los gastos (los ladrillos rojos eran un centavo más baratos que los blancos). Fred también lo arrastró a reuniones del Partido Demócrata de Brooklyn y a recaudaciones de fondos políticos, y se aseguró de que conociera a los políticos más importantes e influyentes de la ciudad.

Ahora como empleado a tiempo completo, Freddy comenzó a acompañar a su padre en las rondas a los edificios, para obtener informes de los conserjes y supervisar las reparaciones. Estar sobre el terreno era mejor que estar en la antigua oficina de un dentista, donde se situaba el negocio de mi abuelo, en la Avenida Z, en el sur de Brooklyn, con sus locales estrechos y su poca iluminación. Aunque el negocio de Fred ganaba millones de dólares al año, todavía trataba directamente con los inquilinos cuando creía que las circunstancias lo justificaban. Si, por ejemplo, un inquilino se quejaba demasiado alto o con demasiada frecuencia, Fred le hacía una visita, a sabiendas de que su reputación le precedía. En ocasiones llevaba a Freddy para demostrarle cómo manejar tales situaciones.

Una vez que un inquilino llamó repetidamente a la oficina para informar de la falta de calefacción, Fred le hizo una visita. Después de llamar a la puerta, se quitó la chaqueta del traje, algo que normalmente hacía justo antes de meterse en la cama. Una vez dentro del apartamento, donde, de hecho, hacía frío, se arremangó la camisa (de nuevo, algo que raramente hacía) y le dijo a su inquilino que no sabía de qué se estaban quejando.

—Esto parece el trópico —dijo.

Freddy comenzó su servicio en la Guardia Nacional. Un fin de semana al mes tenía que presentarse en la Armería de Manhattan. Fred no comentaba esas ausencias de fin de semana, pero le molestaban las dos semanas al año que Freddy tenía que tomarse libres para presentarse en Fort Drum, al norte del Estado de Nueva York. Para Fred, al que el servicio militar no le resultaba útil, constituía una pérdida del tiempo de su hijo como empleado.

Una noche, después de un largo día en Brooklyn, Freddy recibió una llamada de Linda. Llevaban más de un año sin hablar. Ella le contó que la habían contratado como azafata de National Airlines y que trabajaría en vuelos con origen en el aeropuerto de Idlewild (el que ahora es el aeropuerto internacional John F. Kennedy). Recordó que Freddy había mencionado que su padre era dueño de un par de edificios de apartamentos en Queens, y se preguntaba si podría ayudarla a encontrar un apartamento no muy lejos del aeropuerto. Fred tenía varios edificios en Jamaica a solo 15 minutos en autobús de Idlewild. Encontraron un estudio en el Saxony, en Highland Avenue, justo al lado de un parque arbolado de 36.000 metros cuadrados con un gran estanque en medio. Se mudó de inmediato. Pronto ella y Freddy estaban saliendo juntos.

Un año después, en agosto de 1961, Freddy llevó a Linda a cenar a su restaurante favorito en Manhattan. Durante los cócteles, metió a escondidas un anillo de compromiso en la copa de Linda y le propuso matrimonio. Después de la cena, condujeron hasta Jamaica Estates para decírselo a los padres de él. Fred y Mary se tomaron la noticia... con calma.

Basándose en la modesta educación de Linda (su padre era camionero y más tarde sus padres regentaron un chiringuito de almejas cerca de la playa en Florida) y en su aparente falta de sofisticación y educación, asumieron que debía de ser una cazafortunas. Pero fue un malentendido básico y deliberado que no se correspondía con la realidad; probablemente Linda no tenía ni idea de lo rico que era su futuro suegro. Y si Linda era una cazafortunas, era una excepcionalmente mala.

Dada su modesta educación en Escocia, mi abuela pudo haber sido la aliada de mi madre, pero cuando Mary MacLeod llegó a la cima, habría hecho todo lo posible por hacerla caer. En cuanto a Fred, simplemente no le gustaba. En cualquier caso, había sido elección de Freddy, así que era cuestionable.

Mientras tanto, las reglas para las azafatas de aquella época eran muy estrictas: podían ser suspendidas por dejarse el pelo demasiado largo o por engordar, y no podían seguir trabajando si se casaban. Después de su último vuelo en enero de 1962, un par de semanas antes de la boda, Linda no tendría ingresos independientes.

Como la madre de Linda iba en silla de ruedas debido a su artritis reumatoide avanzada, decidieron celebrar la boda en Florida. Consistió en un simple cóctel de recepción en el Pier Sixty-Six Hotel & Marina en el Canal Intracostero en Fort Lauderdale después de la ceremonia en la iglesia. Fred y Mary no estaban contentos, pero como no se ofrecieron a ayudar financieramente, no tenían mucho que decir. Ni Elizabeth, que estaba en la universidad en Virginia, ni Donald, que aún estaba en la NYMA, asistieron. Los Trump se conformaron con organizar una recepción en Nueva York después de que la pareja volviera de su luna de miel.

Estaba previsto que Trump Village, en Coney Island —el mayor proyecto de Trump Management hasta la fecha—empezara a funcionar en 1963, y Freddy iba a ayudar con los preparativos. Fred esperaba que se alojara en un apartamento de uno de sus edificios de Brooklyn para poder estar cerca y tener bajo control cualquier problema que surgiera, pero Freddy y Linda se mudaron a un apartamento de una sola habitación en la calle 56. Este entre la Primera Avenida y Sutton Place. Compraron un caniche, la primera mascota que Freddy tuvo, y unos meses después Linda se quedó embarazada.

Ese noviembre, nació Frederick Crist Trump, III. Un mes más tarde, Freddy compró su primera avioneta, una Piper Comanche 180. Él y Linda volaron con él a Fort Lauderdale justo después de Navidad para enseñárselo, y presentar a su nuevo hijo a los padres de Linda. Su padre, Mike, que a menudo aparcaba cerca de la pista del aeropuerto de Fort Lauderdale para ver despegar y aterrizar los aviones, no pudo estar más impresionado.

Durante una de las cenas semanales que Freddy y Linda tuvieron con Maryanne y su esposo, David Desmond, con quien se había casado en 1960, Freddy les habló de la avioneta y añadió: «No se lo digas a papá. No lo entendería».

puesto en TWA, Linda. Tengo que hacerlo». Ya no iba a pedir permiso. Fred podría cortarle el paso, pero Freddy estaba dispuesto a arriesgarse a perder su herencia. Los pilotos, especialmente los que trabajaban para la TWA, tenían buenos sueldos y un empleo seguro. Podría mantener a su joven familia por su cuenta y sería un hombre hecho a sí mismo.

Cuando Freddy le dijo a su padre que dejaba Trump Management para convertirse en piloto comercial, Fred se quedó atónito. Lo había traicionado, y no tenía intención de dejar que su hijo mayor lo olvidara.

CAPÍTULO CUATRO

A la espera de volar

Solo los mejores pilotos fueron designados para volar en la codiciada ruta Boston-Los Ángeles. Y en mayo de 1964, Freddy llevó a cabo su primer vuelo oficial como piloto profesional, partiendo desde el aeropuerto Logan de Boston a Los Ángeles, menos de seis meses después de haber solicitado un puesto en la primera clase de entrenamiento de ese año.

Lo que Freddy logró lo hizo único en la familia Trump. Ninguno de los otros hijos de Fred lograría tanto por sí solo. Maryanne fue la que más se acercó, estudió Derecho a principios de los 70 y, en el transcurso de nueve años, desarrolló una sólida trayectoria como fiscal. Acabó por recibir un nombramiento en la Corte Federal de Apelaciones, sin embargo, aquello fue posible porque Donald usó sus contactos para hacerle un favor. Durante décadas, Elizabeth trabajó en el mismo puesto en el banco Chase Manhattan, un trabajo que le había conseguido Fred. A Donald se le permitió hacer muchas cosas desde el principio, todos sus proyectos recibieron la financiación y el apoyo de Fred y luego de una miríada de otros facilitadores hasta el presente. Aparte de un breve período en una firma de valores de Nueva York después de graduarse en la universidad, Robert trabajó para Donald y luego para su padre. Ni siquiera Fred era del todo un hombre hecho a sí mismo, ya que su madre había empezado el negocio que se convertiría en Trump Management.

Freddy se había apuntado a una escuela de vuelo en la universidad, desafió a su padre (algo por lo que pasaría el resto de su vida pagando), y no tenía apoyo de su familia, sino su activo desdén.

Nunca retomaron esa conversación, y después de unos días, continuaron como si nada inusual hubiera pasado.

En junio, Donald, entonces de dieciocho años y recién graduado en la academia militar, y Robert, de dieciséis años, todavía estudiante en el alma mater de Freddy, St. Paul, condujeron hasta Marblehead para una visita, y llegaron en el nuevo coche deportivo de Donald, un regalo de graduación que le habían hecho sus padres, una mejora con respecto a la maleta que Freddy había recibido al graduarse en la universidad.

Freddy estaba ansioso por verlos. Ninguno de sus hermanos había subido a un avión con él o expresado interés en su nueva carrera. Esperaba que tal vez, si dejaba entrar a sus hermanos en su mundo, encontraría un aliado. Tener una sola persona en su familia que creyera en él podría reforzar sus menguantes fuerzas para soportar la desaprobación de su padre.

En el momento de la visita, Donald estaba en una encrucijada. Cuando Freddy anunció que se alejaba de Trump Management en diciembre de 1963, a Donald lo pilló por sorpresa. La decisión de su hermano había llegado al final del primer semestre del último año de Donald, y como no se llamaba Fred, no tenía ni idea de cuál podría ser su futuro papel en la empresa, aunque tenía previsto trabajar allí en algún puesto. Debido a esa incertidumbre, no se había preparado adecuadamente para su futuro más allá de la escuela secundaria. Cuando se graduó en la Academia Militar de Nueva York esa primavera, aún no había sido aceptado en la universidad. Le pidió a Maryanne que lo ayudara a encontrar plaza en una universidad local cuando volviera a casa.

Freddy y Linda hicieron una barbacoa para comer, durante la cual Donald les dijo que se iba a Chicago con su padre para «ayudarlo» con un complejo que estaba considerando. El alivio de Freddy era palpable. Puede que Fred estuviera empezando a aceptar la nueva realidad y hubiera decidido tomar a Donald como su posible sucesor.

Más tarde, Freddy llevó a los chicos a su «yate» para pescar.

A pesar de los mejores intentos de Freddy para enseñar a su hermano los fundamentos del deporte, Donald nunca le había cogido el tranquillo.

Donald seguía en la NYMA la última vez que habían estado en un barco juntos, en compañía de Billy y un par de compañeros de la fraternidad de Freddy. Cuando uno de ellos intentó enseñar a Donald cómo sostener la caña de pescar correctamente, Donald se alejó y dijo:

—Sé lo que estoy haciendo.

—Sí, colega. Y lo estás haciendo muy mal.

El resto de chicos se habían reído. Donald había lanzado su caña a la cubierta y se había alejado hacia la proa. Estaba tan furioso que no prestaba atención a por dónde caminaba, y a Freddy le preocupaba que pudiera caerse del barco. Las habilidades de pesca de Donald no habían mejorado en el ínterin.

Cuando los tres hermanos volvieron del puerto, Linda estaba preparando la cena. Tan pronto como entraron en la casa, pudo sentir la tensión. Algo había cambiado. El buen humor de Freddy había sido reemplazado por una ira tranquila y apenas contenida. Freddy no solía perder los estribos, no entonces, y ella lo tomó como una mala señal. Él se sirvió un trago. Otra mala señal.

Incluso antes de que se sentaran a cenar, Donald empezó a hablar de su hermano mayor.

—Sabes, papá está harto de que desperdicies tu vida —declaró, como si de repente recordara por qué estaba allí.

—No necesito que me digas lo que piensa papá —dijo Freddy, que ya conocía muy bien las opiniones de su padre.

—Dice que se avergüenza de ti.

—No entiendo por qué te importa —respondió Freddy—. Si quieres trabajar con papá, adelante. No me interesa.

—Freddy —dijo—, papá tiene razón sobre ti: no eres más que un conductor de autobús con pretensiones. —Puede que Donald no comprendiera el origen del desprecio de su padre por Freddy y su decisión de convertirse en piloto profesional, pero tenía el instinto infalible de un matón para encontrar la forma más eficaz de socavar a un adversario.

Freddy entendió que sus hermanos habían sido enviados a entregar el mensaje de su padre en persona, o al menos Donald. Pero escuchar las palabras de desprecio de Fred salir de la boca de su hermano pequeño lo destrozó.

Linda escuchó el intercambio y salió de la cocina para entrar en el salón a tiempo de ver el semblante demudado de Freddy. Estampó el plato que sostenía en la mesa y le gritó a su cuñado:

—¡Deberías cerrar la boca, Donald! ¿Sabes lo duro que ha tenido que trabajar? ¡No tienes ni idea de lo que estás hablando!

Freddy no habló con ninguno de sus hermanos durante el resto de la noche, y ellos se fueron a Nueva York a la mañana siguiente, un día antes de lo planeado.

La afición a la bebida de Freddy empeoró.

En julio, TWA le ofreció un ascenso. La aerolínea quería enviarlo a sus instalaciones en Kansas City para que aprendiese a pilotar los nuevos 727 que estaba introduciendo en la flota. Él se negó, aunque Linda le recordó que nunca habría desatendido una orden de uno de sus superiores en la Guardia Nacional. Le dijo a la gerencia que como había firmado un contrato de arrendamiento de un año de duración para una casa amueblada en Marblehead solo dos meses antes, no podía justificar el desarraigo de su familia de nuevo. En realidad, Freddy había empezado a sospechar que su sueño estaba llegando a su fin. Estaba perdiendo la esperanza de que su padre lo aceptara como piloto profesional, y sin esa aceptación probablemente no podía continuar. Había pasado toda su vida, hasta que dejó Trump Management, intentando convertirse en la persona que su padre quería que fuera. Cuando esos intentos terminaron repetidamente en fracaso, él esperaba que en el curso de cumplir su propio sueño su padre llegara a aceptarlo por lo que realmente era. Había pasado su infancia navegando por el campo de minas de la aceptación condicional de su padre, y sabía muy bien que solo había una forma de recibirla —ser alguien que no era— y nunca sería capaz de lograrlo. La aprobación de su padre todavía importaba más que cualquier otra cosa. Fred era, y siempre había sido, el máximo árbitro de la valía de sus hijos (por eso, incluso con más de setenta años de edad, mi tía Maryanne seguía anhelando los elogios de su padre, que había muerto hacía tiempo).

Cuando TWA le ofreció a Freddy la oportunidad de tener su base en Idlewild, aprovechó la ocasión, pensando que podría ser una forma de salvar la situación. La decisión no tenía sentido desde una perspectiva práctica, ya que tendría que viajar desde Marblehead a Nueva York cada tres o cuatro días. Peor aún, lo acercaba a Fred. Pero tal vez para Freddy esa era la cuestión. Incluso si no podía conseguir la aprobación de Fred, sería más fácil convencer a su padre de que volar era lo que debía hacer si podían verse. Entre vuelos, Freddy llevó a sus compañeros pilotos a la Casa para conocer a su familia, esperando que Fred quedara impresionado. Fue un movimiento desesperado, pero Freddy *estaba desesperado*.

Al final, no supuso ninguna diferencia. Fred nunca pudo superar la traición. Aunque Freddy se había unido al ROTC y a una fraternidad y al club de vuelo, cosas que su padre habría despreciado pero que probablemente no conocía, esas actividades no habían alterado su plan de trabajar para su padre para asegurar que el imperio sobreviviera a perpetuidad. Desde la perspectiva de Fred, el hecho de que Freddy dejara Trump Management debió de parecer un acto de flagrante falta de respeto. Irónicamente, era el tipo de audacia que Fred había querido inculcar a su hijo, pero había sido desperdiciada en la ambición equivocada. En cambio, Fred sentía que la decisión sin precedentes de Freddy socavó su autoridad y disminuyó la sensación de Fred de que tenía el control de todo, incluyendo el curso de la vida de su hijo.

Unas semanas después de la visita de los chicos, una tormenta de verano se desató sobre el puerto de Marblehead. Linda estaba en la sala planchando las camisas blancas de Freddy cuando sonó el teléfono. Tan pronto como escuchó la voz de su marido, supo que algo iba mal. Le dijo que había dejado su trabajo en la TWA. Los tres tenían que volver a Nueva York lo antes posible. Linda estaba aturdida. Que Freddy renunciara a todo por lo que había trabajado después de solo cuatro meses no tenía ningún sentido.

En realidad, TWA le había dado un ultimátum: si renunciaba, podía conservar su licencia; de lo contrario, se verían obligados a despedirlo como consecuencia de su grave problema con el alcohol. Si Freddy era despedido, probablemente nunca podría volver a volar. Eligió la primera opción, y con eso su vida en Marblehead se acabó. Justo después del Día del Trabajador, los tres se mudaron de nuevo al apartamento de la esquina en el noveno piso del Highlander en Jamaica.

Pero Freddy no se había rendido del todo en su carrera de piloto. Tal vez, pensó, si empezaba con aerolíneas más pequeñas con aviones más pequeños y rutas más cortas y menos estresantes, podría volver a ascender. Mientras Linda y Fritz se instalaban, Freddy fue a Utica, una pequeña ciudad al norte del Estado de Nueva York, para trabajar en Piedmont Airlines, que realizaba rutas de cercanías en el noreste. Ese trabajo duró menos de un mes.

Se mudó a Oklahoma y voló para otra aerolínea local. Estaba allí cuando Fritz celebró su segundo cumpleaños. En diciembre, estaba de vuelta en Queens. Su afición a la bebida estaba descontrolada, y sabía que ya no podía ser piloto. A pesar de ser el único hombre hecho a sí mismo en la familia, Freddy se estaba deshaciendo lenta e inexorablemente.

Menos de un año después de haber comenzado, la carrera de piloto de Freddy ya había terminado. Sin otras opciones, se encontró de pie frente a su padre, quien se sentó en su sitio habitual en el sofá de dos plazas de la biblioteca mientras su hijo mayor le pedía un trabajo que no quería y Fred no creía que pudiera hacer.

Fred aceptó a regañadientes, dejando claro que le estaba haciendo un favor a su hijo.

Y entonces surgió otro rayo de esperanza. En febrero de 1965, Fred adquirió el Steeplechase Park, uno de los tres parques de atracciones icónicos de Coney Island que había estado en funcionamiento desde principios del siglo xx. Steeplechase había sobrevivido a sus dos rivales durante décadas: Dreamland había sido destruido por el fuego en 1911, y Luna Park, también afectado por incendios, había cerrado en 1944. Fred era dueño de un complejo de edificios y una zona comercial con el nombre de Luna Park no muy lejos del sitio original. Steeplechase continuó sus operaciones hasta 1964. La familia Tilyou había sido dueña del parque desde el principio, pero varios factores, incluyendo el alto nivel de criminalidad y la creciente competencia por el dinero del entretenimiento, los convencieron de vender la propiedad. Fred, que sabía que Steeplechase podría estar disponible para la compra, puso sus ojos en adquirirlo. El plan sería otro complejo residencial al estilo de Trump Village, pero habría que superar un obstáculo importante: cambiar las actuales leyes de urbanismo para llevar a cabo construcciones privadas en terrenos de uso público. Mientras esperaba a que la oportunidad se presentase, Fred empezó a presionar a sus viejos amigos para que lo apoyaran y comenzó a redactar su propuesta.

Se planteó la posibilidad de que Freddy estuviera involucrado en el ambicioso proyecto, y su hijo mayor, ansioso por mejorar su posición y dejar atrás TWA, aprovechó la oportunidad. Sospechó que podría ser su última oportunidad de demostrarle su valía al viejo.

Para entonces, Linda estaba embarazada de seis meses de mí.

SEGUNDA PARTE

El lado equivocado de las pistas

CAPÍTULO CINCO

Aterrizado

Desde septiembre de 1964, Donald había estado viviendo en la Casa y realizaba un trayecto de 30 minutos hasta la Universidad de Fordham en el Bronx, cuya asistencia a la misma evitaría mencionar en años venideros. Pasar del estricto día a día en la Academia Militar de Nueva York a la organización relativamente relajada de la universidad fue una transición difícil para Donald, que a menudo se encontró sin nada que hacer y dedicó el tiempo a pavonearse por el vecindario en busca de chicas con las que coquetear. Una tarde se cruzó con Annamaria, la novia de Billy Drake, mientras esta contemplaba a su padre lavar el coche de la familia en la entrada de su casa. Donald sabía quién era ella, pero nunca habían hablado. Annamaria lo sabía todo sobre Donald gracias a Freddy. Mientras ambos charlaban, ella mencionó que había asistido a un internado cerca de la Academia Militar de Nueva York.

—¿A cuál? —preguntó él.

Cuando ella respondió, él la contempló durante un segundo y dijo a continuación:

—Menuda decepción que fueras a ese colegio.

Annamaria, que era tres años mayor que Donald, le contestó:

—¿Quién eres tú para sentir decepción?

Y aquello puso fin a la conversación. La forma de coquetear de Donald consistía en insultarla y actuar con superioridad. A ella le pareció infantil, como si él fuera un niño de segundo curso que expresaba su afecto por una chica tirándole del pelo.

Con la aparente caída en desgracia de Freddy, Donald vio la oportunidad de ocupar su lugar como mano derecha de su padre en Trump Management. Tras haber aprendido la lección de ser el mejor —incluso en cosas no previstas por su padre—, Donald estaba decidido a asegurarse una licenciatura acorde con sus nuevas ambiciones, aun cuando aquello solo le asegurara el derecho a presumir. Fred desconocía el valor relativo de una universidad sobre otra —ni él ni mi abuela habían ido a la universidad—, de modo que los chicos Trump no contaron prácticamente con la ayuda de nadie cuando llegó el momento de solicitar una plaza en la universidad. Consciente de la reputación de la Escuela de Negocios Wharton, Donald puso sus miras en la Universidad de Pennsylvania. Por desgracia, a pesar de que Maryanne le había estado haciendo los deberes, no podía presentarse a los exámenes por él, y a Donald le preocupaba que su nota media, que lo situaba lejos de los primeros de su clase, frustrara su empeño en ser aceptado. Para cubrirse las espaldas, reclutó a Joe Shapiro, un chico inteligente que tenía la reputación de dársele bien hacer exámenes, para que se presentara a las pruebas en su lugar. Resultaba más sencillo llevar a cabo aquello en la época anterior a los carnés con foto y a los registros informatizados. Donald, al que nunca le faltaron recursos, pagó bien a su amigo. Para no dejar nada al azar, también le pidió a Freddy que hablara con James Nolan, un amigo de St. Paul, que trabajaba en el departamento de admisiones de la Universidad de Pennsylvania. Tal vez Nolan estuviera dispuesto a recomendar al hermano pequeño de Freddy.

Freddy lo ayudó de buena gana, pero tenía un motivo oculto: a pesar de que nunca consideró a Donald un rival ni pensó que quisiera sustituirlo, tampoco le gustaba estar cerca de su cada vez más insufrible hermano menor. Sería un alivio poder librarse de Donald.

En última instancia, puede que todas las maquinaciones de Donald ni siquiera hubieran sido necesarias. En aquella época, la Universidad de Pennsylvania era mucho menos exigente de lo que es ahora, y aceptaba la mitad o más de las solicitudes de ingreso. En cualquier caso, Donald consiguió lo que quería. En el otoño de 1966, durante su tercer año, se trasladó de Fordham a la Universidad de Pennsylvania.

Mi abuelo adquirió Steeplechase Park por 2,5 millones de dólares en julio de 1965, un par de meses después de que yo naciera; un año después, Trump Management seguía teniendo problemas para conseguir las autorizaciones y permisos urbanísticos necesarios para seguir adelante. También se enfrentaban a la oposición de los ciudadanos al proyecto.

Freddy les contó a sus amigos que nada había cambiado desde su paso anterior por Trump Management. El constante y excesivo control de Fred y su falta de respeto hacia su hijo hicieron de lo que podría haber sido un reto estimulante un proceso sombrío y amargo. No hace falta decir que el fracaso habría sido un desastre. Sin embargo, Freddy todavía creía que si él conseguía llevar adelante el emprendimiento, la relación con su padre mejoraría.

Ese verano mis padres alquilaron una cabaña en Montauk desde el Día de los Caídos hasta el Día del Trabajador para que papá pudiera alejarse de la estresante situación en Brooklyn. Mamá planeaba quedarse con Fritz y conmigo todo el tiempo y papá vendría en avión los fines de semana. El recientemente rebautizado JFK estaba a quince minutos en coche del despacho de Trump Management, y el aeropuerto de Montauk, que era más bien una pequeña pista de aterrizaje en campo abierto, se encontraba justo en frente de la cabaña, lo que lo convertía en un trayecto sencillo. Lo que más le gustaba a Freddy era irse con sus amigos a Montauk y llevarlos a navegar.

Para cuando el verano terminó, los planes de mi abuelo con respecto a Steeplechase peligraban, y él lo sabía. Fred había confiado en sus antiguos contactos del partido demócrata de Brooklyn, quienes le habían allanado el camino en múltiples ocasiones en el pasado. Sin embargo, a mediados de los 60, sus camaradas políticos contaban con cada vez menos influencia, y pronto se hizo evidente que no iba a conseguir la recalificación urbanística que necesitaba. No obstante, mi abuelo le dio a Freddy una misión casi imposible: conseguir la rezonificación y que el negocio de Steeplechase fuese un éxito.

El tiempo se agotaba. De repente, mi padre, a los veintiocho años, tuvo que desempeñar un papel más público, dando conferencias de prensa y organizando sesiones fotográficas. En una de las fotos, mi padre, al que se le veía delgado con su gabardina, se encuentra frente a un almacén, vacío y cavernoso, contemplando el vasto espacio, con el aspecto de alguien insignificante y completamente perdido.

En un último esfuerzo por evitar que Steeplechase, tal y como pedían los vecinos, fuera declarado lugar histórico, lo cual habría detenido el desarrollo y echado por tierra sus planes, Fred decidió organizar un evento en el conocido como «Pabellón de la diversión», construido en 1907. El propósito era celebrar la demolición del parque: en otras palabras, destruiría lo que la comunidad local estaba intentando salvar antes de que se pudiera garantizar el estatus de lugar histórico. Hizo que mi padre diera una rueda de prensa para presentar el plan, situándolo en el centro de la controversia. El extravagante evento incluía la presencia de modelos en traje de baño. Se instigó a los invitados a lanzar ladrillos (disponibles para su compra) a través de la icónica ventana con la enorme imagen de la mascota del parque, Tilly, y su amplia sonrisa, que dejaba al descubierto sus dientes. En una de las fotografías mi abuelo sostiene un mazo mientras sonríe a una mujer en bikini.

El espectáculo al completo fue un desastre. El sentimentalismo, la nostalgia y el sentido de comunidad eran conceptos que mi abuelo no entendía, pero cuando esas ventanas acabaron rotas, hasta él mismo tuvo que admitir que había ido demasiado lejos. Debido a la rebelión local contra su proyecto, no pudo conseguir la recalificación de los terrenos que necesitaba y se vio obligado a retirarse del proyecto de Steeplechase.

Este fracaso puso al descubierto su menguante habilidad para alcanzar los objetivos. La influencia de Fred provenía en gran medida de sus contactos. A principios y mediados de los 60, hubo un cambio significativo en el sector político de la ciudad de Nueva York, y, como muchos de sus antiguos contactos y colegas estaban perdiendo su influencia y posiciones, a Fred se lo ignoraba. Nunca más aspiraría a iniciar un proyecto inmobiliario. Trump Village, finalizado en 1964, sería el último complejo construido por Trump Management.

Incapaz de asumir su propia responsabilidad, igual que Donald haría en el futuro, Fred culpó a Freddy por el fracaso de Steeplechase. Con el tiempo, Freddy terminó culpándose a sí mismo.

Tampoco ayudó el hecho de que Donald regresara a la Casa desde Filadelfia casi todos los fines de semana. Resultó que no estaba más cómodo en Penn de lo que había estado en Fordham. El esfuerzo no le interesaba, y es posible que de repente descubriera que era un pececito en un océano lleno de tiburones. En la década de 1960, la NYMA se había encontrado en su máximo apogeo respecto a estudiantes matriculados —algo más de quinientos estudiantes entre octavo y duodécimo curso— pero Penn contaba con varios miles cuando él asistió. En la academia militar, Donald había sobrevivido los dos primeros años como estudiante de secundaria gracias a las considerables destrezas que había adquirido al crecer en la casa familiar: su habilidad para fingir indiferencia ante el dolor y la decepción, y para soportar el abuso de chicos más mayores y grandes que él. No había sido un estudiante sobresaliente, pero poseía cierto encanto, un modo de conseguir que los demás le siguieran la corriente que, en aquel entonces, no se sustentaba del todo en la crueldad. En el instituto, Donald había sido buen deportista, un chico al que algunos encontraban interesante con sus ojos azules, su pelo rubio y su fanfarronería. Tenía la seguridad en sí mismo de un matón que sabe que siempre va a conseguir lo que quiere y que nunca tendrá que luchar por ello. Para cuando estaba en último curso, gozaba del suficiente prestigio entre sus compañeros de clase como para que estos lo eligieran para liderar el contingente de la NYMA en el Desfile del Día de Colón de la ciudad de Nueva York. No anticipaba tal éxito en Penn y no veía razón alguna para pasar allí más tiempo del necesario. De todos modos, el prestigio que el título académico le otorgaría era lo más importante.

Durante la etapa crucial del proyecto de Steeplechase, su fracaso y sus consecuencias, Donald permaneció en un segundo plano. A Freddy, que nunca había desarrollado la coraza que podría haberle ayudado a soportar las burlas y la humillación por parte de su padre, le afectaba especialmente que lo regañaran delante de sus hermanos. De pequeños, Donald había sido no solo un espectador sino también uno de los daños colaterales. Ahora que era mayor, se sentía cada vez más seguro de que la constante pérdida de estima de su padre por Freddy le beneficiaría, así que a menudo contemplaba la escena en silencio o se unía a los reproches.

Un día mi padre y mi abuelo se encontraban en el comedor llevando a cabo un análisis de lo ocurrido en Steeplechase; la actitud de Fred era mordaz y acusadora, mientras que Freddy se mostraba arrepentido y a la defensiva. Donald le dijo a su hermano con toda tranquilidad, como si no fuera consciente del efecto que tendrían sus palabras: «Tal vez hubieras estado más concentrado si no hubieras volado a Montauk cada fin de semana».

Los hermanos de Freddy sabían que su padre nunca había visto con buenos ojos lo que ahora era tan solo el hobby de Freddy. Había un acuerdo tácito de no mencionar los aviones ni los barcos delante del cabeza de familia. La reacción de Fred al comentario de Donald les dio la razón cuando mi abuelo le dijo a Freddy: «Deshazte del avión». Una semana después, el avión era historia.

Fred le hizo la vida imposible a Freddy, pero el anhelo de este último por la aprobación de su padre pareció intensificarse tras el asunto de Marblehead y aún más después del fracaso de Steeplechase. Pensaba obedecer a su padre a pies juntillas con la esperanza de ganarse su aceptación. Ya fuera consciente de ello o no, esta nunca le sería concedida.

Cuando se mudaron al Highlander, a Freddy y a Linda les había preocupado que los otros inquilinos molestaran al hijo del propietario con sus quejas. Ahora, cuando necesitaban cualquier reparación, descubrieron que eran los últimos de la lista.

Las ventanas de la habitación esquinera de mis padres situada en el noveno piso ofrecían amplias vistas al sur y al este, pero también eran vulnerables a las fuertes ráfagas de viento. Además, el Highlander tenía incorporados en cada habitación aparatos de aire acondicionado que no habían sido instalados correctamente, por lo que cuando el aire acondicionado estaba encendido, la condensación se acumulaba entre los paneles de yeso y los ladrillos exteriores. Con el tiempo, la humedad acumulada se filtró en el panel de yeso, ablandándolo. En diciembre, la pared del dormitorio de mis padres donde se encontraba el aparato se había deteriorado tanto que una corriente de aire gélido soplaba en todo momento en la habitación. Mi madre trató de tapar la pared alrededor del aire acondicionado con láminas de plástico, pero el gélido aire seguía entrando. Incluso con la calefacción a máxima temperatura, la habitación estaba siempre muy fría. El conserje del Highlander nunca respondió a su petición para que les enviaran personal de mantenimiento, y la pared nunca llegó a arreglarse.

Las condiciones meteorológicas durante la víspera de año nuevo de 1967 fueron particularmente adversas, pero a pesar de la lluvia y el viento, mis padres se dirigieron en coche al este para celebrar el fin de año con unos amigos en Gurney's Inn en Montauk. Para cuando se dispusieron a volver a Jamaica durante las primeras horas del día de año nuevo, el clima se había vuelto aún más frío y la lluvia constante se había convertido en un aguacero. Cuando Freddy salió a calentar el coche, la batería había dejado de funcionar. Al no llevar puesto el abrigo, acabó empapado intentando arrancar el coche. Para cuando él y Linda regresaron al apartamento y a su habitación azotada por el viento, se había enfermado.

Entre el estrés de los últimos dos años y su consumo excesivo de alcohol y tabaco (para entonces fumaba, por regla general, dos paquetes de cigarrillos al día), la salud de Freddy ya se había resentido. Su resfriado empeoró rápidamente y, transcurridos unos días, no notó ninguna mejoría, pues no hacía más que temblar, envuelto en una manta, incapaz de escapar de las corrientes de aire. Linda llamó en repetidas ocasiones al conserje pero no obtuvo respuesta alguna. Finalmente llamó a su suegro. «Por favor, papá», le suplicó, «debe de haber alguien capaz de arreglar esto. ¿Tal vez de otro edificio de Jamaica Estates o Brooklyn? Freddy está muy enfermo». Mi abuelo le sugirió que volviera a hablar con el conserje del Highlander; no había nada que él pudiera hacer.

Debido a que habían vivido durante tanto tiempo en los confines de los dominios de Fred Trump, a ninguno de los dos se les ocurrió contratar a un técnico de mantenimiento ajeno a Fred Trump. No era así como funcionaba la familia; se le pedía permiso a Fred tanto si era necesario como si no. La pared no llegó a repararse.

Una semana después de Año Nuevo, el padre de Linda llamó para decirle que su madre había tenido un derrame cerebral. Mi madre no quería dejar solo a mi padre, pero su madre estaba grave, y necesitaba volar a Fort Lauderdale tan pronto como organizara el cuidado de los niños.

Poco después, Gam llamó a mi madre para decirle que Freddy estaba en el Hospital de Jamaica con una neumonía lobular. Linda tomó un avión de inmediato y se dirigió en taxi al hospital en cuanto aterrizó.

Mi padre seguía en el hospital el 20 de enero de 1967, el día de su quinto aniversario de bodas. Impertérrita ante la mala salud de mi padre y el empeoramiento de su alcoholismo, mi madre coló una botella de champán y un par de copas en su habitación. Al margen de lo que sucedía a su alrededor o del estado en que se encontraba su marido, ambos estaban decididos a celebrarlo.

Papá llevaba en casa apenas unas semanas cuando Linda recibió una llamada de su padre. Le contó que su madre se encontraba mejor tras el derrame, pero detestaba dejarla en manos de las enfermeras mientras él pasaba días enteros en la cantera. El estrés del trabajo, los gastos derivados del cuidado de su esposa y su constante preocupación por ella les estaban pasando factura a ambos. «Ya no aguanto más», le dijo. «No sé cómo vamos a salir adelante».

Linda no sabía con exactitud lo que su padre insinuaba, pero parecía tan angustiado que ella temía que lo que quisiera decir era que tanto él como su madre estarían mejor muertos y que, debido a la desesperación, quizá hiciera algo al respecto.

Cuando le contó a Freddy la precaria situación de sus padres, él le dijo que no se preocupara y llamó a su suegro para decirle que lo ayudaría. «Deja el trabajo, Mike. Cuida de mamá». El dinero no era un problema, al menos no en esa época, pero Freddy no estaba seguro de cómo reaccionaría su padre cuando se lo dijera.

—Por descontado —respondió Fred—. Para eso está la familia.

Mi abuelo creía en aquellas palabras del mismo modo que creía que era apropiado mandar a sus hijos a la universidad o unirse a un club de campo: aunque no le interesara o no fuera un asunto de particular importancia para él, se trataba simplemente de «cumplir con su deber».

Después de que el negocio de Steeplechase se viniera abajo, Freddy aún tenía menos responsabilidad en Trump Management. Linda y él habían estado pensando en comprar una casa desde el nacimiento de mi hermano, y ahora que disponía de tiempo libre, empezaron la búsqueda. No tardaron mucho en encontrar una casa ideal de cuatro habitaciones situada en un terreno de dos mil metros cuadrados en Brookville, un precioso y próspero pueblo de Long Island. La mudanza añadiría al menos media hora al trayecto de papá hasta el trabajo, pero un cambio de aires y la libertad que conllevaba alejarse del edificio de su padre le vendría bien. Aseguró al agente inmobiliario que podría pagar el precio solicitado y que obtener una hipoteca no sería un problema.

Cuando el banco lo llamó unos días después para decirle que su solicitud de hipoteca había sido rechazada, Freddy se quedó atónito. Exceptuando su período en TWA, había estado trabajando para su padre durante casi seis años. Seguía formando parte de la dirección de Trump Management, que ganaba decenas de millones de dólares limpios al año. En 1967, la empresa tenía un valor aproximado de 100 millones de dólares. Freddy se ganaba muy bien la vida, no tenía muchos gastos y contaba con un fondo fiduciario y una cartera de acciones (que menguaba con rapidez). La explicación más plausible era que Fred, todavía disgustado por lo que consideraba la traición de su hijo y recuperándose del fracaso de Steeplechase, había intervenido de alguna manera para evitar la transacción. Mi abuelo tenía contactos importantes y cuentas con mucho dinero en el Chase, el Manufacturer's Hanover Trust y los otros principales bancos de la ciudad, así que no solo era capaz de lograr que a Freddy le concedieran la hipoteca, sino que también podía asegurarse de que no lo hicieran. En la práctica, nuestra familia se encontraba atrapada en ese destartalado apartamento de Jamaica.

Cuando llegó junio, mi padre estaba más que dispuesto a pasar de nuevo el verano en Montauk. Alquilaron la misma cabaña que antes, y con el dinero que consiguió tras vender algunas de sus acciones, papá compró un Chrisovich 33, que, con su aparejo de pesca de cinco metros, estaba bien preparado para llevar a cabo la pesca en alta mar a la que era aficionado. También compró otra avioneta, esta vez una Cessna 206 Stationair, que tenía un motor más potente y una mayor capacidad de pasajeros que la Piper Comanche.

Pero no había adquirido sus nuevos juguetes simplemente para divertirse. Papá tenía un plan. Tras el asunto de Steeplechase, se vio cada vez más marginado en Trump Management, así que se le ocurrió la idea de fletar tanto el barco como la avioneta para disponer de otra fuente de ingresos. Si funcionaba, tal vez fuera capaz, finalmente, de desligarse de Trump Management. Contrató a un capitán a jornada completa que se encargara de alquilar el barco, pero los fines de semana, cuando aquello le habría reportado más beneficios, hacía que el capitán los paseara a él y sus amigos.

Cuando Linda se unía a ellos, advertía que Freddy siempre bebía más que los demás, igual que había pasado en Marblehead, lo que provocó peleas cada vez más intensas entre ellos. Las cada vez más frecuentes ocasiones en las que Freddy pilotaba borracho resultaban alarmantes, y a medida que avanzaba el verano de 1967, Linda se mostró reacia a subir a la avioneta con él. La situación continuó empeorando. En septiembre, papá se dio cuenta de que su plan no iba a funcionar. Vendió el barco, y cuando Fred se enteró de lo de la avioneta, también se deshizo de esta.

A los veintinueve años, mi padre se estaba quedando sin cosas que perder.

CAPÍTULO SEIS

Un juego de suma cero

Me despertó el sonido de la risa de papá. No sabía qué hora era. Mi habitación estaba muy oscura, y la luz del pasillo brillaba con intensidad bajo mi puerta. Me deslicé de la cama. Tenía dos años y medio, y mi hermano de cinco años dormía al otro lado del apartamento. Me dirigí sola a ver qué ocurría.

La habitación de mis padres estaba al lado de la mía, y su puerta se encontraba abierta de par en par. Todas las luces estaban encendidas. Me detuve en el umbral. Papá estaba de espaldas a la cómoda, y mamá, que se encontraba sentada en la cama justo enfrente de él, se inclinaba hacia atrás, con una mano levantada, mientras que con la otra apoyaba su peso en el colchón. No supe de inmediato qué era aquella escena frente a mí. Papá la estaba apuntando con un rifle, el de calibre 22 que guardaba en su barco para cazar tiburones, y no paraba de reírse.

Mamá le rogó que dejara de hacer aquello. Él levantó el arma hasta apuntarle a la cara. Ella alzó aún más el brazo izquierdo y volvió a gritar, más fuerte. Papá parecía encontrar la situación divertida. Me di la vuelta y volví corriendo a la cama.

Mi madre nos metió a mi hermano y a mí en el coche y nos llevó a casa de un amigo a pasar la noche. Finalmente, mi padre nos encontró. Apenas recordaba lo que había hecho, pero le prometió a mi madre que no volvería a pasar. Estaba esperándonos cuando volvimos al apartamento al día siguiente, y ambos acordaron intentar resolver las cosas.

Pero siguieron con el día a día de sus vidas de forma mecánica sin reconocer sus problemas matrimoniales. Las cosas no iban a mejorar. Ni siquiera seguirían igual.

A menos de tres kilómetros de distancia, en otro de los edificios de mi abuelo, Maryanne se encontraba en problemas. Su marido, David, había perdido su concesión de Jaguar hacía un par de años y seguía sin trabajo. Cualquiera que estuviera prestando atención se habría dado cuenta de que no todo iba bien, pero los hermanos de Maryanne y sus amigos pensaban que David Desmond era un chiste: un personajillo inofensivo. Freddy nunca había entendido el matrimonio ni había tomado en serio a su cuñado.

Maryanne tenía veintidós años cuando conoció a David. Tras haberse graduado en Ciencias políticas en Columbia, había planeado sacarse un doctorado, pero, con el objetivo de ahorrarse la vergüenza de que su familia (incluyendo a Freddy) la tomara por una solterona, había aceptado la proposición de matrimonio de David y dejó la universidad tras conseguir el master.

El problema inicial radicaba en que David, que era católico, insistió en que Maryanne se convirtiera al catolicismo. No queriendo provocar la ira de su padre o herir los sentimientos de su madre, le aterrorizaba pedirles su bendición.

Cuando por fin lo hizo, Fred le dijo:

—Haz lo que te venga en gana.

Ella les transmitió lo mucho que sentía decepcionarlos.

—Maryanne, no podría importarme menos. Eres tú quien será su esposa.

Gam guardó silencio, y aquello fue todo.

A David le gustaba decirle a Maryanne que su nombre sería conocido por algo más que su vinculación con los Trump. Aunque había recibido una buena educación, no tenía ninguna habilidad manifiesta que respaldase su ambición. Aun así, seguía convencido de que encontraría una forma de triunfar más allá de sus sueños y «darle a todos una lección». Igual que Ralph Kramden, pero sin el encanto, la amabilidad o el trabajo fijo con prestaciones, sus «sucesivos negocios de éxito», como sucedió con el concesionario de coches, siempre fracasaron o nunca llegaron a materializarse. No mucho después de que se casaran, David comenzó a beber.

Los Desmond vivían sin pagar el alquiler en uno de los apartamentos Trump y disfrutaban del mismo seguro médico del que se beneficiaban todos los miembros de la familia a través de Trump Management, pero el alquiler y el seguro médico gratuitos no les daban de comer, y ninguno de los dos tenía ingresos.

El mayor misterio, sin embargo, era por qué Maryanne dependía tanto financieramente de su incompetente marido, igual que era un misterio que Elizabeth viviera en un sombrío apartamento de una habitación junto al puente de la calle 59 y que Freddy no pudiera comprarse una casa y que sus aviones, barcos y coches de lujo siguieran desapareciendo. Mi abuelo y mi bisabuela habían creado un fondo fiduciario para todos los hijos de Fred en los años 40. Tanto si Maryanne ya tenía derecho a disponer del capital como si no, los fideicomisos debían de haber generado intereses. Pero a los tres hijos mayores se les había enseñado a no pedir nada nunca, y si mi abuelo era el administrador de esos fideicomisos, tenían que apañárselas con sus circunstancias financieras. El hecho de pedir ayuda significaba que eras débil o codicioso o intentabas sacar provecho de alguien que no necesitaba nada a cambio, aunque con Donald se hizo una excepción. Estaba tan mal visto, que eso llevó a que Maryanne, Freddy y Elizabeth sufrieran, de distintas maneras, carencias totalmente evitables.

Tras soportar durante algunos años la continua falta de trabajo de su marido, Maryanne estaba desesperada. Se acercó a su madre, pero de una manera que no despertara sospechas. «Mamá, necesito cambio para la lavandería», le decía como quien no quiere la cosa cada vez que iba a la Casa. Pensaba que nadie estaba al tanto de lo grave de la situación. En cuanto a Fred, una vez que su hija se casó, esta dejó de ser problema suyo, pero mi abuela lo sabía. No hacía preguntas, bien porque no quería entrometerse o porque no quería herir el «orgullo» de Maryanne, y le entregaba a su hija una lata de Crisco llena de monedas de diez y veinticinco centavos que sacaba de las lavadoras y secadoras de los edificios de mi abuelo. Cada unos pocos días, Gam recorría Brooklyn y Queens, con su estola de piel de zorro y al volante de su Cadillac rosa descapotable, y recogía las monedas. Como mi tía reconocería más tarde, a pesar de formar parte de una familia tremendamente adinerada, esas latas de Crisco le salvaron la vida; sin ellas no habría podido dar de comer a su hijo, David Jr., ni alimentarse ella misma

Por lo menos, Maryanne debería haber podido comprar comida sin tener que pedirle a mi abuela, por muy sutiles que fueran sus indirectas. Pero por muy grave que fuera su situación, los tres hijos mayores Trump no consiguieron que nadie de su familia los ayudara de manera significativa. Después de un tiempo parecía que no tenía sentido intentarlo. Elizabeth simplemente aceptó su suerte. Con el tiempo, papá llegó a creer que era lo que se merecía. Maryanne se convenció a sí misma de que no pedir o recibir ayuda era motivo de honor. Su miedo a mi abuelo estaba tan profundamente arraigado que ya ni siquiera eran conscientes de que era eso lo que sentían.

La situación con David Desmond finalmente se volvió insostenible. No era capaz de conseguir trabajo, y su alcoholismo empeoró. Desesperada, pero asegurándose de que no pareciera que estaba pidiendo ayuda, Maryanne le insinuó a su padre que a David le encantaría un puesto en Trump Management. Mi abuelo no preguntó si había algún problema. Le consiguió a su yerno un trabajo como aparcacoches en uno de sus edificios de Jamaica Estates.

Donald se graduó en la Universidad de Pennsylvania durante la primavera de 1968 y empezó a trabajar directamente en Trump Management. Desde el primer día, mi tío de 22 años gozó de más respeto e incentivos y recibió un sueldo mayor que mi padre.

Casi inmediatamente, mi abuelo nombró a Donald vicepresidente de varias compañías que se encontraban bajo el paraguas de Trump Management, lo nombró «administrador» de un edificio que en realidad no tenía que administrar, le pagó honorarios de «asesoramiento» y lo «contrató» como financiero.

Había dos motivos para aquello: primero, era una forma sencilla de poner a Freddy en su lugar al tiempo que les indicaba a los demás empleados que debían mostrarle respeto a Donald. Segundo, ayudó a consolidar la posición de facto de Donald como sucesor natural.

Donald captó la atención de su padre de una manera que nadie más logró. Ninguno de los amigos de Freddy podía entender por qué Donald era, a los ojos de Fred, «el favorito». Durante los veranos y fines de semana que Donald pasó trabajando para su padre y visitando terrenos de construcción, Fred mostró a su hijo menor los entresijos del negocio inmobiliario. Donald descubrió que le atraía la parte más sórdida de tratar con los contratistas y disfrutaba moviéndose entre las estructuras de poder político y financiero que sustentaban la industria inmobiliaria de la ciudad de Nueva York. Padre e hijo podían conversar acerca de los negocios y la política locales y chismorrear sin parar, incluso si los demás, dejados de lado, no teníamos ni idea de lo que estaban hablando. Fred y Donald no solo compartían atributos y antipatías, sino que su relación era de igual a igual, algo que Freddy nunca logró con su padre. Freddy tenía una visión más amplia del mundo que su hermano o su padre. A diferencia de Donald, había pertenecido a organizaciones y grupos en la universidad que le habían mostrado los puntos de vista de otras personas. En la Guardia Nacional y como piloto de TWA, se había codeado con los mejores y más brillantes profesionales que defendían la idea de un bien común superior, y que creían que había cosas más importantes que el dinero, tales como la experiencia, la dedicación y la lealtad. Comprendieron que la vida no era un juego de suma cero donde tiene que haber ganadores y perdedores. Pero eso era parte del problema de mi padre. Donald era tan estrecho de miras, pueblerino y egoísta como su padre. Pero también poseía una confianza en sí mismo y una desfachatez que Fred envidiaba y de la que carecía su hijo mayor, cualidades que Fred planeaba aprovechar a su favor.

La apuesta de Donald para reemplazar a mi padre en Trump Management tuvo un buen comienzo, pero seguía sin tener un lugar propio en la Casa. Robert estudiaba en la Universidad de Boston, lo que le permitió librarse de servir en Vietnam, y Donald y Elizabeth no tenían demasiada relación. Freddy hizo todo lo posible para incluir a su hermano pequeño en todo aquello que él y sus amigos hacían, pero la cosa rara vez salía bien. Era un grupo tranquilo al que le encantaba volar al este con Freddy para pescar y hacer esquí acuático. El escaso sentido del humor y la prepotencia de Donald se les antojaron desagradables. Aunque intentaron por el bien de Freddy acoger con los brazos abiertos a su hermano pequeño, este no les caía bien.

A punto de cumplirse el primer año de Donald en Trump Management, la tensión entre él y Freddy era cada vez más evidente. Aunque Freddy intentaba dejar los problemas de ambos en el trabajo, Donald nunca daba las discusiones por zanjadas. A pesar de ello, cuando la novia de Billy Drake, Annamaria, organizó una cena, Freddy le preguntó si podía invitar a su hermano.

La noche no fue mucho mejor que el intento de coqueteo de Donald frente a su casa años atrás. Poco después de que los hermanos llegaran, una discusión acalorada sacó a Annamaria de la cocina, donde estaba preparando la cena. Vio a Donald a pocos centímetros de su hermano, sonrojado y señalando el rostro de Freddy con el dedo. Donald parecía estar a punto de golpear a Freddy, por lo que Annamaria se interpuso entre los dos hombres.

Freddy dio un paso atrás y dijo apretando los dientes:

—Donald, sal de aquí.

Aquellas palabras parecieron dejar a Donald anonadado, que acto seguido se marchó echo una furia mientras decía:

—¡Pues muy bien! ¡Que te aproveche el asado!

—¡Idiota! —exclamó Annamaria. Se volvió hacia Freddy y le preguntó—: ¿De qué iba todo eso?

Conmocionado, Freddy simplemente respondió: «Cosas del trabajo». Y ahí acabó la conversación.

Las cosas tampoco iban mejor en el Highlander. A pesar del miedo de mi madre a las serpientes, un día papá trajo a casa una pitón bola y puso su terrario en la salita de estar, lo cual obligaba a mi madre a pasar por al lado cada vez que necesitaba lavar la ropa, entrar en la habitación de mi hermano o salir del apartamento. Sus peleas se intensificaron tras aquella innecesaria crueldad, y para 1970 mi madre ya no soportaba la situación. Le pidió a papá que se marchara. Cuando él volvió a casa sin avisar un par de semanas después, mamá llamó a mi abuelo e insistió en que se cambiaran las cerraduras. Por una vez, Fred no puso ninguna objeción; no hizo preguntas y no le echó la culpa. Tan solo le dijo que se ocuparía de ello, y eso hizo.

Papá no volvió a vivir con nosotros nunca más.

Mi madre llamó a Matthew Tosti, uno de los abogados de mi abuelo, para decirle que quería el divorcio. El señor Tosti y su socio, Irwin Durben, llevaban trabajando para mi abuelo desde los años 50. Incluso antes de que mis padres se separaran, el señor Tosti había sido la primera persona a la que mi madre llamaba para cualquier asunto que tuviera que ver conmigo, con mi hermano o con el dinero. Se convirtió en su confidente; en medio del sombrío paisaje que constituía la familia Trump, él se erigió como un aliado cálido y solidario, y ella lo consideraba un amigo.

Por muy amable que fuera el señor Tosti, también sabía quién era la persona que le daba de comer. A pesar de que mi madre contaba con su propio abogado, el acuerdo de divorcio podría perfectamente haber sido impuesto por mi abuelo. Este sabía que su nuera no tenía ni idea de lo adinerada que era la familia de mi padre ni de las perspectivas de futuro de este último como hijo de un hombre sumamente rico.

Mi madre recibía 100 dólares a la semana de pensión alimenticia más 50 dólares a la semana para la manutención de los niños. En aquel momento, aquellas no eran cantidades insignificantes, sobre todo teniendo en cuenta que los gastos más elevados, como el colegio, la matrícula del campamento y el seguro médico, corrían a cargo de mi abuelo. A mi padre también le correspondía pagar el alquiler. Como mi abuelo era el dueño del edificio en el que vivíamos, solo costaba 90 dólares al mes. (Muchos años después descubrí que a mi hermano y a mí nos pertenecía el 10 por ciento del Highlander, por lo que, en retrospectiva, el hecho de cobrarnos el alquiler me parece excesivo). Se impuso un tope máximo de 250 dólares a la obligación de papá de pagar el alquiler, lo que limitaba nuestra capacidad para mudarnos a un apartamento o vecindario mejor. Mi padre, que descendía de una familia que *en aquel momento* contaba con un patrimonio de más de cien millones de dólares, accedió a pagar el colegio privado y la universidad. Pero el señor Tosti tenía que autorizar nuestras vacaciones. No había bienes conyugales que dividir, de modo que el capital neto total de mi madre ascendía a los 600 dólares que recibía cada mes, una cantidad de dinero que no cambiaría durante la década siguiente. Tras deducir los gastos, apenas quedaba lo suficiente para que mamá contribuyera al fondo anual de Navidad de ayuda a la gente con pocos recursos, y mucho menos para ahorrar y poder comprar una casa.

A mi madre se le concedió nuestra custodia total, algo habitual en la época, pero el régimen de visitas no quedó especificado: «El señor Trump podrá ver [a los niños], previa notificación con antelación suficiente, en todo momento razonable». En la gran mayoría de los casos, las visitas significaban quedarse a los niños cada dos fines de semana y una noche entre semana para cenar. En eso se convirtió el acuerdo de mis padres con el tiempo, pero al principio no se estableció ninguna norma oficial.

En 1969 se declaró el bloqueo permanente al desarrollo del proyecto Steeplechase, pero con el tiempo la ciudad volvió a adquirir el terreno comprándoselo a mi abuelo. Entre compra y venta se quedó con 1,3 millones de dólares de beneficio sin haber hecho otra cosa más que destrozar uno de los lugares más conocidos y queridos de la ciudad. Lo único que se llevó mi padre de aquello fueron las culpas.

CAPÍTULO SIETE

Líneas paralelas

Cuando Freddy (en 1960) y Donald (en 1968) se unieron a Trump Management, ambos tenían expectativas similares: convertirse en la mano derecha de su padre para después tomar el relevo. Se los había educado, en diferentes momentos y de diferentes maneras, para encajar en el papel a la perfección, y jamás les faltaron fondos para comprarse ropa cara y coches de lujo. Las similitudes terminaban ahí.

Freddy se dio cuenta rápidamente de que su padre no estaba dispuesto a darle cabida en la empresa ni a delegarle otra cosa que las tareas más triviales, un problema que se agudizó durante la construcción del Trump Village. Sintiéndose atrapado, menospreciado y miserable, Freddy se marchó para probar suerte en otra parte. A la edad de 25 años, era piloto profesional y pilotaba aviones Boeing 707 para TWA y de esa forma mantenía a su joven familia. Aquello acabaría siendo el punto álgido de la vida personal y profesional de Freddy. A los 26 años y ya de regreso en Trump Management, la oportunidad quimérica de enmienda que le ofrecieron con el proyecto de Steeplechase se evaporó, y sus perspectivas de futuro llegaron a su final.

Para 1971, mi padre llevaba trabajando para mi abuelo once años, con la excepción de los diez meses que pasó como piloto. Sin embargo, Fred nombró a Donald, que en aquel entonces tenía solo veinticuatro años, presidente de Trump Management. Llevaba en la empresa tan solo tres años, tenía muy poca experiencia y aún menos aptitudes, pero a Fred no pareció importarle.

La verdad era que Fred Trump no necesitaba en Trump Management a ninguno de sus hijos. Se nombro a sí mismo CEO (Director General) de la empresa, pero ninguna de sus funciones cambió: en el fondo era un casero que alquilaba propiedades. Fred llevaba sin ser promotor inmobiliario desde el fracaso de Steeplechase seis años antes, por lo que el nombramiento de Donald como presidente no tenía un sentido práctico. A principios de los 70, con la ciudad de Nueva York al borde del colapso económico, el gobierno federal recortó los presupuestos para la Administración de Vivienda Federal, la FHA (en gran parte debido al coste de la guerra de Vietnam), de modo que Fred se quedó sin más financiación por su parte. Mitchell-Lama, un programa apadrinado por el Estado de Nueva York para proporcionar viviendas asequibles, que financió la construcción de Trump Village, también cerró el grifo.

Como estrategia empresarial, el ascenso de Donald carecía de sentido. ¿Para qué se le ascendió exactamente? Mi abuelo no tenía ningún proyecto de urbanización en marcha, la estructura de poder de la que había dependido durante décadas se estaba desmoronando, y la ciudad de Nueva York se encontraba en una situación financiera desesperada. La finalidad principal del ascenso era castigar y avergonzar a Freddy. Aquel fue el último de una larga lista de castigos similares, aunque se trataba casi con toda seguridad del peor, sobre todo teniendo en cuenta el contexto en el que ocurrió.

Fred estaba decidido a darle un puesto a Donald. Había empezado a darse cuenta de que aunque su hijo mediano no poseía el temperamento para el cuidado de los detalles del día a día requerido para dirigir el negocio, contaba con algo más valioso: ideas audaces y el descaro necesario para llevarlas a cabo. Fred había albergado durante mucho tiempo la ambición de expandir su imperio hasta Manhattan, al otro lado del río, el Santo Grial de los promotores inmobiliarios de la ciudad de Nueva York. Sus inicios profesionales habían demostrado que tenía un don para la promoción personal, la hipocresía y la hipérbole. Pero como hijo de inmigrantes alemanes de primera generación, el inglés era el segundo idioma de Fred y este necesitaba mejorar sus habilidades de comunicación. Se había apuntado al curso de Dale Carnegie por una razón, y no era para reforzar su confianza en sí mismo. Pero el curso resultó ser un fracaso. Y existía otro obstáculo, tal vez incluso más difícil de superar: la madre de Fred, tan previsora como había sido en algunos aspectos, era por lo general una persona muy estricta y tradicional. Le parecía bien que su hijo tuviera éxito y fuera rico. Pero no que presumiera.

Donald no poseía tal moderación. Detestaba Brooklyn tanto como Freddy, pero por razones muy diferentes: la deprimente mediocridad del distrito, propia de las clases trabajadoras, y la falta de «potencial». Se moría de ganas de salir de allí. Las oficinas de Trump Management se encontraban en la Avenida Z, en pleno Beach Haven, situado en el sur de Brooklyn, uno de los complejos de apartamentos más grandes de mi abuelo. No había llevado a cabo demasiadas modificaciones. La estrecha recepción estaba abarrotada con demasiados escritorios, y las pequeñas ventanas apenas dejaban pasar la luz. Si Donald hubiera pensado en los edificios y complejos colindantes en términos de número de unidades, en el valor de los arrendamientos de los terrenos y en el gran volumen de ingresos que se vertían en Trump Management cada mes, habría reconocido las enormes posibilidades que aquello ofrecía. En cambio, cada vez que se encontraba frente a la recepción y observaba la uniformidad utilitaria de Beach Haven, debía de sentirse asfixiado por la sensación de que aquello no estaba a su altura. Un futuro en Brooklyn no era lo que él anhelaba, y se había propuesto marcharse lo más rápido posible.

Al margen de que un chofer cuyo salario pagaba la empresa de su padre se dedicara a pasearlo por Manhattan en un Cadillac alquilado con el propósito de «buscar propiedades», las funciones del puesto de Donald parecen haber incluido mentir acerca de sus «logros» y supuestamente negarse a alquilar apartamentos a personas negras (lo que sería objeto de una demanda por parte del Departamento de Justicia, en la que se acusaría a mi abuelo y a Donald de discriminación).

Donald dedicó una parte significativa de su tiempo a labrarse una reputación entre los círculos de Manhattan a los que tan desesperadamente deseaba unirse. Al haberse criado formando parte de la primera generación que disfrutaba de un televisor en casa, había pasado horas frente al aparato, cuya naturaleza episódica le atraía. Aquello ayudó a dar forma a la imagen astuta y superficial que acabaría representando y encarnando. Su comodidad al proyectar esa imagen, junto con el favoritismo de su padre y la seguridad material que le proporcionaba la riqueza de su familia, le dio la inmerecida confianza para llevar a cabo lo que incluso al principio era una farsa: venderse a sí mismo no sólo como un millonario mujeriego sino como un brillante hombre de negocios hecho a sí mismo.

En aquellos primeros días, mi abuelo se encargó de financiar con mucho entusiasmo, aunque de forma clandestina, la carísima iniciativa de Donald. Fred no se dio cuenta enseguida del alcance de las carencias de Donald y no tenía ni idea de que básicamente lo que hacía era fomentar una fantasía, pero, en cualquier caso, Donald estaba encantado de gastarse el dinero de su padre. Por su parte, Fred estaba decidido a seguir dándole dinero a su hijo. A finales de la década de 1960, por ejemplo, Fred construyó un rascacielos con viviendas para la tercera edad en Nueva Jersey, un proyecto que era en parte un ejercicio para obtener subsidios del gobierno (Fred recibió un préstamo de 7,8 millones de dólares, prácticamente sin intereses, para cubrir el 90 por ciento del coste de la construcción del proyecto) y en parte un ejemplo de hasta dónde estaba dispuesto a llegar para enriquecer a su segundo hijo. Aunque Donald no aportó capital alguno para los costes de desarrollo del edificio, recibió honorarios como asesor y se le pagó por administrar la propiedad, un trabajo para el cual ya había empleados *in situ* a jornada completa. Ese proyecto por sí solo le granjeó a Donald decenas de miles de dólares al año, a pesar de no haber hecho prácticamente nada y de no haber corrido ningún riesgo para desarrollarlo, impulsarlo o administrarlo.

En otra jugada parecida, Fred compró Swifton Gardens, un proyecto de la FHA cuya construcción costó originalmente 10 millones de dólares, en una subasta por 5,6 millones de dólares. Para la compra consiguió una hipoteca de 5,7 millones de dólares, que también cubría los gastos de las mejoras y reparaciones, por lo que en esencia no pagó nada por los edificios. Cuando posteriormente vendió la propiedad por 6,75 millones de dólares, Donald se llevó todo el mérito y la mayor parte de las ganancias.

A mi padre le habían arrebatado su sueño de volar y ahora había perdido su derecho de nacimiento. Estaba divorciado y apenas veía a sus hijos. No tenía ni idea de qué otra cosa le quedaba o qué iba a hacer a continuación.

Sabía que la única manera de conservar el respeto por sí mismo era alejarse de Trump Management, y esta vez para siempre.

El primer apartamento de papá tras marcharse del Highlander fue un estudio que se encontraba en el sótano de una casa de ladrillos en una calle tranquila y sombreada en Sunnyside, Queens. Tenía treinta y dos años y nunca había vivido solo.

Lo primero que vimos cuando entramos por la puerta fue un tanque donde había dos serpientes rayadas y un terrario con una pitón bola.

Había colocado un segundo tanque, lleno de peces de colores, y un tercero, con algunos ratones correteando entre la paja, sobre unos soportes a la izquierda de las serpientes. Yo sabía para qué eran los ratones.

Además de un sofá plegable, una pequeña mesa de cocina con un par de sillas baratas y el televisor, había dos terrarios más que albergaban una iguana y una tortuga. Las llamábamos Tomate e Izzy.

Papá parecía sentirse orgulloso de su nuevo hogar, y siguió añadiendo animales a su zoológico particular. En una de nuestras visitas, nos llevó al cuarto de la caldera y nos enseñó una caja de cartón con seis patitos dentro. El casero le había permitido colocar unas lámparas de calor, que hacían las veces de incubadora. Eran tan pequeños que tuvimos que alimentarlos con un gotero.

«Dale una vuelta de tuerca a tu carburador mental», le dijo mi abuelo a mi padre, como si aquel comentario fuera lo único que hacía falta para que su hijo dejara de beber. Como si tan solo se tratara de una cuestión de fuerza de voluntad. Estaban en la biblioteca, pero por una vez se sentaron el uno frente al otro, no exactamente como iguales, pues jamás serían iguales, sino como dos personas que se habían topado con un problema y tenían que resolverlo, aunque quizá nunca se pusieran de acuerdo en cuanto a la solución. A pesar de que el punto de vista médico sobre el alcoholismo y la adicción había cambiado drásticamente durante las décadas anteriores, la percepción de la opinión pública no había evolucionado demasiado. Pese a los programas de tratamiento como Alcohólicos Anónimos, que llevaba en funcionamiento desde 1935, el estigma de los adictos y la adicción continuaba existiendo.

—Toma las riendas del asunto, Fred —le dijo mi abuelo, una perogrullada que habría hecho las delicias de Norman Vincent Peale. Lo más parecido a una filosofía que tenía Fred era el evangelio de la prosperidad, el cual empleaba como si fuera un arma contundente y una salida de emergencia, y que jamás había herido a ninguno de sus hijos más de lo que lo hizo en aquel momento.

—Es como si me dijeras que tomase las riendas del asunto para dejar de tener cáncer —respondió papá.

Tenía razón, pero mi abuelo abrazaba de todo corazón la, aún muy extendida, mentalidad de echarle la culpa a la víctima y era incapaz de ir un paso más allá.

—Necesito ganar esta batalla, papá. Y no creo que pueda hacerlo solo. Sé que no puedo.

En lugar de preguntar: «¿Qué puedo hacer para ayudarte?», Fred dijo: «¿Qué quieres de mí?»

Freddy no sabía ni por dónde empezar.

Mi abuelo no había caído enfermo ni un solo día de su vida; nunca había faltado al trabajo; nunca había sido azotado por la depresión, la ansiedad o la angustia, ni siquiera cuando su esposa agonizaba. Parecía no tener ninguna vulnerabilidad en absoluto y por lo tanto no podía reconocerlas ni aceptarlas en otras personas.

Nunca había sabido como lidiar con las lesiones y enfermedades de Gam. Siempre que esta padecía alguna dolencia, mi abuelo le decía algo así como: «Todo va genial. ¿Verdad, *Toots*? Solo tienes que ser positiva», y acto seguido abandonaba la habitación lo más rápido posible, dejando que ella soportara sola su dolor.

A veces Gam se obligaba a responder: «Sí, Fred». Normalmente guardaba silencio, apretaba la mandíbula y se esforzaba por no echarse a llorar. La implacable insistencia de mi abuelo en que todo iba «genial» no dejaba lugar a ningún otro sentimiento.

Nos dijeron que papá estaba enfermo y que pasaría unas semanas en el hospital. También nos dijeron que tenía que dejar su apartamento, pues al parecer el propietario quería alquilárselo a otra persona. Fritz y yo fuimos a recoger ropa, juegos y otras cosas que nos habíamos dejado allí, y cuando llegamos, el apartamento se encontraba casi vacío. Los terrarios y las serpientes habían desaparecido. No llegué a averiguar qué fue de ellos.

Cuando papá regresó de dondequiera que hubiera estado —el hospital o el centro de rehabilitación—, se mudó al ático de mis abuelos. Se trataba de un arreglo provisional, y no se intentó convertirlo en un espacio habitable apropiado. Todas las cajas de almacenaje y los juguetes viejos —incluyendo el camión de bomberos antiguo, la grúa y el camión de basura que mi abuela había guardado allí todos esos años— se apartaron sin más a un extremo del ático, mientras que en la zona despejada al otro extremo se colocó un catre. Papá puso su televisor portátil en blanco y negro de seis pulgadas sobre su viejo baúl de la Guardia Nacional bajo el tragaluz.

Cuando Fritz y yo íbamos de visita, acampábamos en el suelo junto a su cama, y los tres vimos un sinfín de películas antiguas como *¡Tora, Tora, Tora!* y *El mundo está loco, loco, loco*. Cuando se encontraba lo bastante bien como para bajar, papá se unía a nosotros los domingos para la película semanal de Abbott y Costello en la WPIX.

Después de uno o dos meses, mi abuelo le dijo a papá que había un apartamento libre de una habitación en el último piso de Sunnyside Towers, un edificio que mi abuelo había comprado en 1968.

Mientras papá se preparaba para mudarse a Sunnyside, Maryanne, con la ayuda de un préstamo de 600 dólares, se disponía a comenzar sus estudios en la facultad de Derecho de Hofstra. Aunque no era su primera opción, Hofstra estaba a sólo diez minutos en coche de Jamaica Estates, lo bastante cerca como para poder llevar a mi primo David al colegio por la mañana y recogerlo por la tarde. Volver a estudiar era un sueño que había aplazado desde hacía mucho. También esperaba que el hecho de convertirse en abogada le diera los medios financieros para dejar a su marido algún día. Su situación se había vuelto cada vez más grave a lo largo de los años. El trabajo de aparcacoches que su suegro le había conseguido era una humillación de la que David no se había recuperado. Con los años, este había arremetido contra su esposa de vez en cuando, sobre todo cuando estaba borracho.

El acercamiento de Maryanne a la independencia llevó a su marido al límite, y después de que ella regresara a casa tras su primer día en la facultad de Derecho, su marido, en un ataque de ira, echó a su hijo de trece años del apartamento. Maryanne lo llevó a la Casa, y pasaron la noche allí. David Desmond, Sr., vació su exigua cuenta de ahorros conjunta y abandonó la ciudad.

Cuando toda la familia se reunía, pasábamos la mayor parte del tiempo en la biblioteca, una habitación que no albergó ningún libro hasta que el texto de Donald *El arte de la negociación*, que fue obra de un escritor contratado, fue publicado en 1987. Las estanterías se usaban en su lugar para mostrar fotos de bodas y retratos. La pared frente al mirador con vistas al patio trasero la presidía una fotografía de estudio de los cinco hermanos, ya adultos, que había reemplazado a una versión anterior de los cinco en poses similares tomada cuando Freddy tenía catorce años. Las únicas fotografías de la habitación que no habían sido tomadas en un estudio eran una foto en blanco y negro de mi abuela, cuyo sombrero y estola de piel le conferían un aspecto regio y altivo, mientras ella y mis tías, muchachas en aquella época, descendían por una escalera de avión hasta el asfalto de Stornoway, en la isla de Lewis, donde había nacido Gam; y una de Donald con su uniforme de la Academia Militar de Nueva York dirigiendo al contingente escolar en el Desfile del Día de Colón de la ciudad de Nueva York. Había dos sofás de dos plazas tapizados en una tela vinílica azul oscura y verde apoyados contra las paredes, y un sillón frente al televisor, por el que los niños se peleaban con frecuencia. Mi abuelo, vestido con su traje de tres piezas y corbata, se sentaba en el sofá de dos plazas cerca de la pesada mesa de pino para el teléfono, junto a la puerta, con los pies firmemente plantados en el suelo.

Cada sábado, si no estábamos en Sunnyside con papá, Fritz y yo recorríamos en bicicleta Highland Avenue y las calles secundarias de Jamaica Estates hasta llegar a la Casa para pasar el rato con nuestro primo David, o mejor dicho, Fritz y David pasaban el rato y yo iba tras ellos, tratando de mantener el ritmo.

Cada vez que Maryanne y Elizabeth visitaban a Gam, las tres se sentaban a una mesita de Fórmica azul celeste con borde de acero inoxidable que parecía sacada de una heladería de los años 50. Justo detrás, había una oscura alacena del tamaño de un vestidor, con un pequeño escritorio donde Gam guardaba las listas de la compra, los recibos y las facturas. Marie, la sufrida ama de llaves, a menudo se escondía allí y escuchaba su radio portátil, y en días lluviosos o fríos cuando David, Fritz y yo nos encontrábamos confinados en la Casa, la volvíamos loca. Al otro lado de la alacena, una puerta batiente conducía al comedor. Teníamos un recorrido que comenzaba en el pasillo de la puerta trasera y pasaba por la cocina y el vestíbulo, rodeaba el comedor, atravesaba la alacena y volvía a la cocina, y lo convertimos en nuestra pista de carreras personal; nos perseguíamos los unos a los otros, forcejeando, gritando y ganando velocidad, por lo que uno de nosotros acababa siempre chocando contra algún mueble. Gam nos dejaba, por lo general, corretear a nuestro aire entre el frigorífico y la puerta de la alacena, pero cuando estaba en la cocina, perdía la paciencia y nos gritaba que parásemos. Nos amenazaba con la cuchara de madera si la ignorábamos —el sonido del cajón abriéndose era suficiente para hacernos vacilar. Pero si éramos lo bastante estúpidos como para seguir corriendo a su alrededor y armando jaleo, sacaba la cuchara y golpeaba al que estuviera más cerca de ella. Liz ponía de su parte para que aminorásemos la marcha agarrándonos del pelo cuando pasábamos.

Después de eso, Fritz, David y yo solíamos ir corriendo al sótano, pues los adultos solo pasaban por allí de camino al cuarto de la lavadora o al garaje, así que podíamos hacer ruido y jugar con el balón de fútbol o turnarnos (o pelearnos) para subir y bajar en el ascensor eléctrico de Gam. Pasábamos la mayor parte de nuestro tiempo en la zona despejada del fondo con todas las luces encendidas. Salvo por las esculturas de madera de jefes indios norteamericanos de tamaño natural de mi abuelo, que se encontraban alineadas contra la pared más lejana como si fueran sarcófagos, era un sótano bastante típico: tenía un falso techo con luces fluorescentes, baldosas de linóleo blancas y negras y un viejo piano vertical al que nadie hacía mucho caso porque estaba tan desafinado que ni siquiera valía la pena tocarlo. Sobre el piano descansaba un sombrero militar con un enorme penacho que Donald había utilizado en un desfile como miembro de la guardia de la NYMA. A veces me lo ponía, aunque se me deslizaba hasta el puente de la nariz, y me abrochaba la correa debajo de la barbilla.

Cuando me encontraba allí abajo sola, el sótano —medio iluminado, con los indios de madera montando guardia en las sombras— se convertía en un espacio extrañamente exótico. Al otro lado de las escaleras, en una esquina, había un enorme bar color caoba totalmente equipado con taburetes, vasos polvorientos y un fregadero que funcionaba, pero sin alcohol: una anomalía en una casa que había sido construida por un hombre que no bebía. Tras la barra, una gran pintura al óleo de una cantante negra de labios bonitos y carnosos y generosas y ondulantes caderas colgaba en la pared. Ataviada con un vestido amarillo y dorado con volantes que resaltaba todas sus curvas, estaba situada frente al micrófono, con la boca abierta y la mano extendida. Tras ella tocaba una banda de jazz formada en su totalidad por hombres negros que vestían chaquetas blancas y pajaritas negras. Las trompetas brillaban y los saxofones relucían. El clarinetista, con ojos brillosos, me miraba directamente. Yo me colocaba detrás de la barra, con una toalla colgada al hombro, y preparaba bebidas para mis clientes imaginarios. O me sentaba en uno de los taburetes, como si fuera la única clienta, y me imaginaba que estaba en el interior de ese cuadro.

Nuestro tío Rob, que no era mucho mayor que nosotros y parecía más un hermano que un tío, jugaba al fútbol con nosotros en el patio trasero cuando venía de la ciudad. Nos tomábamos el partido muy en serio y en días de mucho calor íbamos a menudo a la cocina a por una lata de Coca-Cola o un zumo de uva. Con frecuencia, Rob agarraba una barra de queso crema Filadelfia, y, apoyándose en el frigorífico, le quitaba el papel de aluminio y se lo comía como si se tratara de un caramelo, para luego acompañarlo con un refresco.

Rob era un jugador de fútbol excepcional, y yo intentaba seguirles el ritmo a los chicos, pero a veces sentía que me usaba para practicar tiro al blanco.

Cuando Donald estaba en la Casa, jugábamos sobre todo al béisbol o a lanzarnos una pelota de fútbol americano. Él había jugado al béisbol en la Academia Militar de Nueva York y era incluso aún más bruto que Rob; no veía ninguna razón para lanzar la pelota con más suavidad solo porque sus sobrinos tuvieran seis, nueve u once años. Cuando conseguía atrapar las pelotas que me lanzaba, el ruido que producían contra mi guante de cuero resonaba en el muro de ladrillo como un disparo. Incluso con niños pequeños, Donald siempre tenía que ganar.

Solo la persona más optimista del mundo podría haber vivido en las Torres Sunnyside sin perder la esperanza. No había portero, y las plantas y flores de plástico que llenaban las dos enormes macetas a cada lado de la puerta de plexiglás estaban siempre cubiertas por una fina película de polvo. Nuestro pasillo del sexto piso apestaba a humo de tabaco rancio. La húmeda alfombra era de un desangelado tono gris marengo y las mediocres luces del techo no ocultaban nada.

El estilo de vida de mi padre había llegado a su punto álgido cuando él y mi madre vivían en su apartamento de una habitación cerca de Sutton Place justo después de casarse. Habían pasado ese año yendo al Copacabana con sus amigos por las noches y volando a Bimini los fines de semana. Desde entonces todo había ido de mal en peor, una trayectoria que contrastaba con la de Donald, cuyo propio estilo de vida se volvió más extravagante con el paso de los años. Donald ya vivía en Manhattan cuando se casó con Ivana. Tras la boda, se alojaron en un apartamento de dos habitaciones de la Quinta Avenida, y después en uno de ocho habitaciones también en la Quinta Avenida. En menos de cinco años se habían trasladado al ático triplex de 10 millones de dólares de la Trump Tower, mientras Donald seguía a sueldo de mi abuelo.

Mi abuelo creó Midland Associates en los años 60 en beneficio de sus hijos; se les dio a cada uno el 15 por ciento de la titularidad de ocho edificios, uno de los cuales era Sunnyside Towers. El objetivo expreso de esta transferencia de riqueza, que era, si no totalmente fraudulenta, al parecer no del todo legal, consistía en evitar el pago de la mayor parte de los impuestos sobre donaciones que hubieran tenido que tributar si hubiera sido una transacción directa. No sé si papá sabía que era dueño de una parte del edificio en el que ahora vivía, pero en 1973 su parte habría valido unos 380.000 dólares, o 2,2 millones de dólares actuales. Parecía no tener acceso ni a un céntimo de ese dinero. Se había quedado sin sus barcos y sus aviones, así como sin su Mustang y su Jaguar. Todavía tenía sus matrículas personalizadas con las iniciales de su nombre (FCT), aunque ahora estaban colocadas en un destartalado Ford. Cualquier riqueza que poseyera mi padre era para entonces totalmente teórica. O bien su acceso a sus fondos fiduciarios había sido bloqueado, o consideraba que no tenía ningún derecho sobre su propio dinero. Frustrado de una forma u otra, se encontraba a merced de su padre.

Papá y yo estábamos viendo un partido de los Mets en la tele cuando el intercomunicador sonó. Papá pareció sorprendido y fue a contestar. No oí quién llamaba desde el vestíbulo, pero sí escuché a mi padre soltar un «mierda» en voz baja. Habíamos pasado una tarde tranquila, pero ahora papá parecía tenso.

—Donald va a subir un par de minutos —me dijo.

—¿Por qué?

—Ni idea. —Parecía molesto, lo cual no era habitual en él.

Papá se metió la camisa por dentro del pantalón y abrió la puerta en cuanto sonó el timbre. Dio un par de pasos atrás para dejar pasar a su hermano. Donald, que iba vestido con un traje de tres piezas y lucía unos zapatos relucientes, llevaba un grueso sobre de manila envuelto con anchas gomas elásticas. Entró en la sala de estar.

—Hola, Honeybunch —dijo cuando me vio.

Lo saludé con la mano.

Donald se volvió hacia mi padre y le dijo: «Por Dios, Freddy», mientras miraba a su alrededor con desdén. Mi padre ignoró el comentario. Donald arrojó el sobre encima de la mesita de café y le dijo a mi padre:

—Papá quiere que firmes esto y luego lo lleves a Brooklyn.

—¿Hoy?

—Sí. ¿Por qué? ¿Estás ocupado?

—Llévaselo tú.

—No puedo. Voy de camino a la ciudad para ver algunas propiedades embargadas. Es el momento ideal para aprovecharse de los inútiles que compraron durante el auge del mercado.

Freddy nunca se habría atrevido a desarrollar sus propios proyectos fuera de Brooklyn. Unos años antes, durante un viaje de fin de semana a las Poconos, mientras Linda y él dejaban atrás una manzana tras otra de edificios destartalados a ambos lados de la autopista Cross Bronx, ella le señaló que podría llevar a cabo sus propios proyectos y rehabilitar edificios en el Bronx.

—No puedo desobedecer a papá —había respondido Freddy—. A él solo le interesa Brooklyn. Nunca lo aceptaría.

Donald miró por la ventana y comentó:

—A papá le hará falta alguien en Brooklyn. Deberías volver.

—¿Y hacer qué, exactamente? —se burló papá.

—Ni idea. Lo que sea que hicieras antes.

—Me encargaba de lo que tú haces ahora.

En medio del incómodo silencio, Donald desvió la mirada a su reloj.

—Mi chofer está abajo esperando. Llévale los documentos a papá antes de las cuatro, ¿de acuerdo?

Cuando Donald se marchó, papá se sentó en el sofá junto a mí y encendió un cigarrillo.

—Bueno, pequeña —me dijo—, ¿quieres dar un paseo hasta Brooklyn?

Cuando visitábamos la oficina, papá siempre se aseguraba de saludar a Amy Luerssen, la asistente personal de mi abuelo (y también mi madrina), cuyo escritorio se encontraba justo frente a la puerta del despacho de su jefe. Era obvio que tía Amy adoraba al hombre al que llamaba «mi Freddy».

El despacho de mi abuelo era una habitación cuadrada con poca iluminación; tenía las paredes cubiertas de placas y certificados enmarcados, y un montón de bustos de madera de jefes indios ataviados con sus tocados de plumas esparcidos por todas partes. Me senté detrás de su escritorio, elegí entre lo que parecía ser un suministro interminable de rotuladores azules de marca Flair y los mismos gruesos blocs de papel borrador que tenía en la Casa, y me puse a escribir notas y a dibujar hasta que llegó la hora de ir a comer. Cuando me dejaron sola, empecé a dar vueltas como una loca en su silla.

Mi abuelo siempre nos llevaba a comer a Gargiulo's, un restaurante elegante con impecables servilletas y manteles de tela donde acudía casi todos los días. Los respetuosos camareros lo conocían y siempre se dirigían a él como «señor Trump», le apartaban la silla para que se sentara, y por lo general, se desvivían por él durante la comida. Las cosas siempre iban mejor cuando tía Amy o alguien de la oficina se unía a nosotros, pues su presencia aliviaba la presión que sentía papá; a él y a mi abuelo no les quedaban demasiadas cosas que decirse. Donald no solía encontrarse en la oficina cuando íbamos de visita, pero cuando nos lo cruzábamos, la situación empeoraba. Se desenvolvía como si el lugar le perteneciera, algo que mi abuelo parecía no solo alentar, sino también disfrutar. Mi abuelo se transformaba en presencia de Donald.

En 1973, la División de Derechos Civiles del Departamento de Justicia demandó a Donald y a mi abuelo por violar la Ley de Vivienda Justa de 1968 por negarse a alquilar a *die Schwarze* [los negros], como decía mi abuelo. Fue una de las mayores demandas federales por discriminación en materia de vivienda jamás presentadas, y el célebre abogado Roy Cohn se ofreció a ayudarlos. Donald y Cohn se habían conocido en Le Club, un elegante restaurante y discoteca solo para socios situado en la calle 55 Este, que era frecuentado por los Vanderbilt y los Kennedy, un puñado de personalidades internacionales y miembros poco importantes de la realeza. Había pasado más de una década desde la desastrosa participación de Cohn en la fallida cruzada anticomunista de Joseph McCarthy. Fue obligado a dimitir de su cargo como asesor jefe del senador, pero no hasta haber destrozado las vidas y las carreras profesionales de numerosos hombres debido a su supuesta homosexualidad o sus lazos con el comunismo.

Igual que aquellos que compartían con él su carácter despiadado y gozaban de contactos igual de influyentes, Cohn no acataba ninguna regla. Apoyado por cierto segmento de la élite de Nueva York y contratado por una amplia variedad de clientes como Rupert Murdoch, John Gotti, Alan Dershowitz, y la archidiócesis católica de Nueva York, Cohn se incorporó al ejercicio privado de la abogacía en la ciudad de Nueva York, donde se había criado. Durante los años siguientes, se hizo muy rico, y llegó a disfrutar de un gran éxito e influencia.

Mientras que Cohn era fanfarrón y escandaloso, Fred era conservador y taciturno. Los diferenciaba una cuestión de grado y de moderación, pero no de naturaleza. Cohn desplegaba en público su crueldad e hipocresía, aunque Fred, en el contexto íntimo de su familia, también dominaba dichas artes. Fred había educado a Donald para que se sintiera fascinado por hombres como Cohn, igual que posteriormente se sentiría fascinado por líderes autoritarios como Vladimir Putin, Kim Jong-un o cualquier otro, en realidad, que tuviera la voluntad de adularlo y el poder de enriquecerlo.

Cohn recomendó que Trump Management presentara una contrademanda contra el Departamento de Justicia por valor de 100 millones de dólares por lo que él alegaba que eran difamaciones por parte del gobierno sobre sus clientes. La maniobra fue simultáneamente absurda, llamativa y efectiva, al menos en cuanto a la publicidad cosechada: era la primera vez que Donald, a los veintisiete años, aparecía en la portada de un periódico. Y aunque la contrademanda se desestimó, Trump Management llegó a un acuerdo con la otra parte. No se admitió que hubiera habido irregularidades, pero tuvieron que cambiar sus prácticas de alquiler para evitar la discriminación. Aun así, tanto Cohn como Donald lo consideraron una victoria debido a toda la cobertura mediática.

Cuando Donald ataba su destino a personas como Roy Cohn, lo único que tenía a su favor era la generosidad de Fred y una cuidadosamente cultivada pero descabellada creencia en su propia genialidad y superioridad. De manera paradójica, las defensas que había desarrollado de pequeño para protegerse de la indiferencia, el miedo y el abandono que habían definido sus primeros años, junto con el hecho de que se le obligara a ser testigo del maltrato a Freddy, lo prepararon para desarrollar algo de lo que su hermano a todas luces carecía: la capacidad de ser «implacable», en representación de su padre.

No hay forma de saber con precisión en qué momento empezó a fijarse Fred en Donald, pero sospecho que fue después de que enviara a su hijo a la escuela militar. Donald se mostraba receptivo ante las peticiones de su padre para que se convirtiera en un tipo duro, en un «implacable», y demostró su valía presumiendo de las palizas que los alumnos mayores le propinaban en ocasiones, o fingiendo que no le importaba su exilio de casa. La creciente confianza de Fred en Donald creó un vínculo entre ellos y una inquebrantable seguridad en su hijo. Después de todo, la persona más importante de la familia, la única cuya opinión importaba, lo favorecía por fin. Y a diferencia de Freddy, la atención que Donald recibió de su padre fue positiva.

Cuando Donald salió al mundo real tras acabar la universidad, este sacó provecho de los contactos de su padre para conseguir aún más contactos y usó su dinero para labrarse su imagen de floreciente Amo del Universo. Fred sabía que cualquier reconocimiento que lograra su hijo redundaría en su propio beneficio. Después de todo, si Donald fue considerado un negociador prometedor, fue gracias a Fred Trump, incluso si Fred era la única persona que lo sabía.

En entrevistas concedidas a principios de los 80, Fred afirmó que el éxito de Donald había superado con creces el suyo. «Le di a Donald carta blanca», dijo. «Tiene buen ojo, y todo lo que toca parece convertirse en oro. Donald es la persona más inteligente que conozco». Nada de eso era cierto, y Fred debía de haberlo sabido una década antes de afirmarlo.

Después del asunto de Steeplechase, Fred había perdido mucho terreno. Si quería expandir el alcance de su imperio, necesitaría un nuevo campo de juego y un sustituto. Necesitaba que Donald saliera al ruedo y construyese la imagen pública de la empresa. Fred no había tardado en darse cuenta de que su derrochador hijo mediano no estaba hecho para la poco glamurosa, ajustada y férrea rutina de un administrador de propiedades de alquiler. Pero con el apoyo de su padre, tal vez pudiera usar su arrogancia y desvergüenza para dar el salto a Manhattan. Fred no era un mero espectador; estuvo estrechamente involucrado en todos los aspectos de las primeras incursiones de Donald en el mercado de Manhattan, moviendo los hilos entre bastidores mientras Donald se ocupaba de dar la cara ante la multitud. Fred hizo posible que Donald interpretara un papel que cumpliera con su propio deseo de reconocimiento, mientras permitía que su hijo se labrara la reputación como promotor inmobiliario de Manhattan a la que Fred siempre había aspirado. Fred nunca conseguiría el reconocimiento público, pero le bastaba con saber que las oportunidades que se le habían presentado a Donald para dejar su huella y promocionarse nunca se habrían materializado sin él. El éxito y los elogios se debieron a Fred y a su vasta riqueza. Cualquier historia que circulara sobre Donald era en realidad una historia sobre Fred. Este último también sabía que si el secreto salía a la luz, la farsa se desmoronaría. En retrospectiva, Fred era el titiritero, pero no podía vérsele moviendo los hilos de su hijo. No es que Fred pasara por alto la incompetencia de Donald como hombre de negocios. Fred estaba dispuesto a apostar millones de dólares por su hijo porque creía que podía aprovechar las habilidades que Donald sí poseía —como genio del autobombo, mentiroso impúdico, vendedor experto y creador de imágenes públicas— para lograr lo único que siempre se le había escapado: un nivel de fama en consonancia con su ego que satisficiera su ambición de una manera que el dinero por sí solo nunca podría.

Cuando las cosas se pusieron feas a finales de los 80, Fred no pudo distanciarse de la brutal ineptitud de su hijo; el padre no tuvo más remedio que seguir adelante. Su monstruo había quedado libre. Lo único que podía hacer era mitigar el daño, mantener el flujo de dinero y encontrar a otro a quien culpar.

Durante los dos años siguientes, papá se volvió aún más taciturno, más sombrío y, si cabe, más delgado. El apartamento en Sunnyside Towers era gris… gris debido a su orientación noroeste, gris por las continuas nubes de humo de tabaco, gris por su mal humor. Había mañanas en las que apenas conseguía levantarse de la cama, y mucho menos pasar un día entero con nosotros. A veces era debido a la resaca; otras, debido a su depresión, que empeoró. Si no teníamos nada planeado, papá inventaba a menudo alguna excusa para dejarnos solos, diciendo que tenía que trabajar o hacer algún recado para Gam.

Una vez papá nos contó que trabajaba dirigiendo a los repartidores de periódicos. Repartí periódicos durante un breve período de tiempo, y hasta donde yo sé, eso significaba que era el tipo que entregaba los periódicos a los repartidores desde el maletero de su coche, y luego recogía el dinero cuando terminaban sus rutas de reparto. Me dijo una vez que ganaba 100 dólares al día, lo que me pareció una suma de dinero enorme.

Una noche, estábamos en casa cenando con la novia de papá, Johanna. Yo prefería que no estuviera allí: algo en ella me resultaba desagradable. No simpatizaba —ni siquiera lo intentó— conmigo ni con Fritz.

Ya bastante malo era que utilizara palabras británicas sin serlo, pero entonces papá empezó a utilizarlas también.

Acabábamos de terminar de comer cuando empecé a contar mis aventuras con mi madre en el banco aquella tarde. Mientras ella hacía cola durante un buen rato, yo me dirigí a uno de los mostradores y rellené un montón de recibos de depósito con todo tipo de nombres falsos y cantidades absurdas de dinero que tenía pensado sacar para financiar diversos planes. Apenas pude disimular lo divertido que me parecía todo el asunto. Pero mientras les hablaba de las identidades secretas, las retiradas anónimas de efectivo y mis diabólicos planes para gastármelo, papá había adoptado una expresión cautelosa.

—¿Está el señor Tosti al tanto de esto? —preguntó.

Si hubiera prestado más atención, puede que me hubiera percatado de que tenía que dejar el tema, pero pensé que papá estaba de broma, así que seguí contando mi historia. Papá se puso cada vez más más nervioso, se inclinó hacia adelante y me señaló con el dedo: «¿Qué has hecho?». Por mucho mal genio que mi padre pudiera tener, rara vez lo había visto tan enfadado, y casi nunca lo había oído levantar la voz. Yo me sentí confundida e intenté volver hasta el punto de mi historia en que él había empezado a pensar que yo me había comportado mal. Pero ese punto no existía, y mi explicación sobre lo que en realidad había sucedido solo lo puso más nervioso.

—Si el señor Tosti se entera de esto, me meteré en un lío con tu abuelo.

Johanna le posó una mano en el brazo, como para desviar su atención de mí.

—Freddy —le dijo—. No pasa nada.

—¿Cómo que no pasa nada? Es un asunto muy serio, joder.

Me estremecí ante la palabrota.

En aquel momento, tanto Johanna como yo sabíamos que no había manera de calmarlo. Estaba borracho y era presa de algún viejo recuerdo. Traté de explicárselo, de tranquilizarlo, pero se encontraba demasiado trastornado. Y yo solo tenía ocho años.

En el verano de 1975, Donald dio una rueda de prensa durante la cual presentó el proyecto arquitectónico para el Grand Hyatt, como si ya le hubieran adjudicado el contrato para reemplazar el viejo Hotel Commodore junto a la Terminal Grand Central en la calle 42. Los medios de comunicación publicaron sus afirmaciones como si ya fuera un hecho.

Ese mismo verano, justo antes de que Fritz y yo nos fuéramos al campamento, papá le dijo a mamá que tenía que contarle algo. Ella lo invitó a cenar. Abrí la puerta cuando papá tocó el timbre. Se había puesto la misma ropa que llevaba casi siempre —pantalones negros y una camisa blanca—, pero iba impecable y con el pelo peinado hacia atrás. Nunca lo había visto tan guapo.

Mientras mamá preparaba la ensalada, papá cocinó los filetes a la parrilla en nuestra pequeña terraza. Cuando la comida estuvo lista, nos sentamos en la mesita junto a la terraza, dejando la puerta abierta para que entrara la suave brisa de verano. Bebimos agua y té helado.

—Me mudo a West Palm Beach después del verano —nos dijo—. He encontrado un apartamento estupendo en el Canal Intracostero con un muelle en la parte de atrás.

Ya había elegido un barco, y cuando lo visitábamos, nos llevaba a pescar y a hacer esquí acuático. Mientras hablaba, parecía feliz, confiado… y aliviado. Todos sabíamos que era la decisión correcta; por primera vez en mucho tiempo, nos sentimos esperanzados.

CAPÍTULO OCHO

Velocidad de escape

Me senté a la mesa del comedor con el zapato frente a mí, intentando encontrarle el sentido a aquello. Había mirado entre las cajas que quedaban bajo el árbol, pensando que quizá el otro zapato había sido envuelto por separado, pero no, sólo había uno: un zapato de lamé dorado con un tacón de diez centímetros lleno de caramelos. Tanto los caramelos como el propio zapato estaban envueltos en celofán. ¿De dónde había salido aquello? Me lo preguntaba. ¿Se trataba del premio de alguna rifa o de un regalo de recuerdo de algún almuerzo?

Donald vino desde la cocina a través de la alacena. Al pasar junto a mí, preguntó:

—¿Qué es eso?

—Un regalo tuyo.

—¿De veras? —Contempló el zapato durante un segundo—. ¡Ivana! —gritó al vestíbulo. Ella se encontraba al otro lado del árbol de Navidad, cerca de la sala de estar—. ¡Ivana!

—¿Qué pasa, Donald?

—Es fantástico. —Él señaló el zapato y ella sonrió. Tal vez pensó que era oro de verdad.

Todo había comenzado en 1977 con un pack de tres piezas de ropa interior de Bloomie's por valor de 12 dólares, mi primer regalo de Navidad por parte de Donald y su nueva esposa, Ivana. Ese mismo año, le habían regalado a Fritz una agenda encuadernada en cuero. Parecía un regalo dirigido a alguien mayor, pero era muy bonita, y yo me sentí un poco menospreciada hasta que nos dimos cuenta de que era una agenda de hacía dos años. Al menos la ropa interior no caducaba.

Durante las vacaciones, Donald e Ivana llegaban a la Casa en un carísimo coche deportivo o en una limusina con chofer que era aún más larga que la de mi abuelo. Entraban en el vestíbulo como si fueran miembros de la alta sociedad, Ivana con sus pieles, sus ropas de seda y un peinado y maquillaje atroces, y Donald con sus caros trajes de tres piezas y sus brillantes zapatos; todos los demás parecíamos tradicionales y poco modernos en comparación.

Crecí pensando que Donald se había establecido por su cuenta y había construido por sí solo el negocio que había convertido el apellido de mi familia en una marca, y que a mi abuelo, tacaño y de provincias, solo le importaba ganar y conservar el dinero. En ambos casos, la verdad era muy diferente. Un artículo del *New York Times* publicado el 2 de octubre de 2018 que sacó a la luz la inmensa cantidad de supuestos fraudes y actividades semilegales e ilegales en las que mi familia había participado durante varias décadas, incluía este párrafo:

> Fred Trump y sus empresas también comenzaron a conceder cuantiosos préstamos y líneas de financiación a Donald Trump. Al lado de dichos préstamos, lo que recibían los demás miembros de la familia parecían limosnas, pues el dinero fluía de forma tan constante en ocasiones, que parecía como si Donald Trump tuviera su propia fábrica de hacer dinero. Por ejemplo en 1979, cuando pidió prestado 1,5 millones de dólares en enero, 65.000 dólares en febrero, 122.000 dólares en marzo, 150.000 dólares en abril, 192.000 dólares en mayo, 226.000 dólares en junio, 2,4 millones de dólares en julio y 40.000 dólares en agosto, según los registros presentados a las autoridades reguladoras de los casinos de Nueva Jersey.

En 1976, cuando Roy Cohn sugirió que Donald e Ivana firmaran un acuerdo prematrimonial, los términos establecidos para la remuneración de Ivana se basaron en el patrimonio de Fred, ya que en ese momento mi abuelo era la única fuente de ingresos de Donald. Mi abuela me contó que, además de la pensión alimenticia y la manutención de los niños, así como el apartamento, el acuerdo prenupcial incluía, dada la insistencia de Ivana, un fondo para «emergencias» de 150.000 dólares. El acuerdo de divorcio de mis padres también se había establecido en función del patrimonio de mi abuelo, pero la bonificación de 150.000 dólares de Ivana equivalía a casi veintiún años de los 600 dólares mensuales que mi madre recibía por la manutención de su hijos y la pensión alimenticia.

Antes de Ivana, las fiestas en familia habían sido tan similares que estas parecían entremezclarse. La Navidad de mis cinco años era indistinguible de la Navidad de mis once. La rutina nunca variaba. Entrábamos a la Casa por la puerta principal a la 1:00 p.m., nos sumergíamos en una amalgama de regalos, apretones de manos y besos al aire, y luego nos reuníamos en el salón para un cóctel de gambas. Al igual que ocurría con la puerta principal, solo usábamos el salón dos veces al año. Papá iba y venía, pero no recuerdo verlo allí de una forma u otra.

Las cenas de Acción de Gracias y Navidad eran idénticas, aunque una Navidad, Gam tuvo la osadía de preparar carne asada en lugar de pavo. Era una comida que le gustaba a todo el mundo, pero Donald y Robert se cabrearon. Gam pasó toda la comida con la cabeza inclinada y las manos en el regazo. Y justo cuando pensábamos que el asunto había quedado olvidado, uno de los dos decía algo así como: «Cielo santo, mamá, me parece increíble que no hayas hecho pavo».

En cuanto Ivana pasó a formar parte de la familia, se unió a Donald junto a la cabecera de la mesa, donde él se sentaba a la derecha de mi abuelo, su único igual. Las personas situadas más cerca de ellos (Maryanne, Robert e Ivana) formaban un grupo de alabarderos cuya única misión consistía en respaldar a Donald, dejar que fuera él quien decidiera el rumbo de la conversación y tratarlo con absoluta deferencia, como si no hubiera nadie más importante que él. Creo que al principio se trató tan solo de una actitud prudente: Maryanne y Robert habían aprendido desde el principio que no tenía sentido oponerse al claro favoritismo de su padre. «Nunca desafié a mi padre», dijo Maryanne, «Nunca». Era más fácil seguirles la corriente. Los jefes de gabinete de Donald son un ejemplo excelente de este fenómeno. John Kelly, al menos durante un tiempo, y Mick Mulvaney, sin ningún tipo de reserva, se comportaron del mismo modo hasta que los echó por no ser lo bastante «leales». Eso es lo que siempre ocurre con los aduladores. Primero guardan silencio sin importar los atropellos que se cometan; luego se convierten en cómplices por permanecer de brazos cruzados. En última instancia, descubren que son prescindibles cuando Donald necesita un chivo expiatorio.

Con el tiempo, las discrepancias entre el trato que le confería Fred a Donald y el que dispensaba a sus otros hijos quedaron dolorosamente claras. Era más sencillo para Rob y Maryanne acatar la situación con la esperanza de que su padre no los tratara aún peor, método que parecen emplear actualmente los congresistas republicanos. También sabían lo que le había pasado a mi padre cuando fue incapaz de cumplir las expectativas de Fred. Los que nos sentábamos al otro extremo de la mesa éramos insignificantes; nuestra labor consistía en hacer bulto.

Un año después del zapato de lamé dorado, Donald e Ivana me regalaron una cesta de regalo que se llevó la palma: era obvio que se trataba de un obsequio que les habían hecho a ellos, no servía para nada y demostraba la inclinación de Ivana por el celofán. Tras abrirla, advertí, entre la lata de sardinas gourmet, la caja de galletitas saladas, el frasco de aceitunas para el vermut y un salami, una hendidura circular en el papel de seda que cubría el fondo de la cesta donde antes había habido otro frasco. Mi primo David pasó por mi lado y, señalando el espacio vacío, preguntó:

—¿Qué había ahí?

—No tengo ni idea. Algo para untar esto, supongo —respondí, levantando la caja de galletitas.

—Seguro que era caviar —dijo él, riéndose. Me encogí de hombros, sin saber lo que era el caviar.

Agarré el asa de la cesta y me dirigí hasta el montón de regalos que había apilado junto a las escaleras. De camino, al cruzarme con Ivana y mi abuela, levanté la cesta y dije: «Gracias, Ivana» y acto seguido la coloqué en el suelo.

—¿Es eso tuyo?

Al principio pensé que hablaba de la cesta de regalo, pero en realidad se refería al ejemplar de la revista *Omni* que se encontraba encima del montón de regalos que ya había abierto. *Omni*, una revista de ciencia y ciencia ficción que había empezado a publicarse en octubre de ese año, era mi nueva obsesión. Acababa de comprar el número de diciembre y me la había traído a la Casa con la esperanza de tener oportunidad de acabar de leerla en algún momento entre el cóctel de gambas y la cena.

—Ah, sí.

—Bob, el editor, es amigo mío.

—¡No me digas! Me encanta esta revista.

—Te lo presentaré cuando vengas a la ciudad.

No resultaba tan asombroso como si me hubiera dicho que iba a conocer a Isaac Asimov, pero se acercaba bastante.

—Vaya. Gracias.

Llené un plato de comida y subí a la habitación de mi padre, donde este había permanecido todo el día, demasiado enfermo como para unirse a nosotros. Estaba sentado, escuchando su radio portátil. Le di el plato, pero lo ignoró y lo dejó en la mesita de noche. Le hablé de la generosa oferta de Ivana.

—Espera un segundo, ¿a *quién* quiere presentarte?

Recordaba su nombre a la perfección. Había contemplado el membrete editorial de la revista justo después de hablar con Ivana, y ahí aparecía él: Bob Guccione, Editor.

—¿Vas a conocer al tipo que publica *Penthouse*?

Incluso a los trece años sabía lo que era *Penthouse*. Era imposible que se tratara de la misma persona. Papá se rio y dijo: «No creo que sea una buena idea». Y de repente, a mí tampoco me lo pareció.

Era imposible tomarse a broma los regalos que recibía mi madre. El motivo por el cual se esperaba que asistiese a las fiestas familiares años después de que se hubiera divorciado de mi padre era un misterio, pero la razón por la que ella acudía constituía un misterio aún mayor. Sin duda alguna, a los Trump no les apetecía que estuviese allí más que a ella. Algunos de los regalos que le hacían estaban bastante bien, pero siempre eran de tiendas peores que los regalos que compraban para Ivana y la esposa de Robert, Blaine. Y lo que era aún peor, resultaba obvio que muchos de ellos habían sido usados con anterioridad. Un año, Ivana le regaló un bolso de una firma de lujo, pero este tenía dentro un pañuelo usado.

Después de cenar y abrir los regalos, cada uno se fue por su lado: algunos se marcharon a la cocina, otros al patio trasero y el resto nos dirigimos a la biblioteca, donde yo me senté en el suelo al lado de la puerta con las piernas cruzadas. Desde allí, vi una película de Godzilla o un partido de fútbol o lo que fuera que Donald o Rob hubieran puesto en la tele. Al cabo de un rato, me di cuenta de que mi madre no estaba. Al principio no le di más importancia, pero cuando advertí que seguía sin volver, me fui a buscarla. Eché un vistazo en la cocina, pero solo encontré a mi abuela y a mis tías. Salí al patio trasero, donde mi hermano y David se estaban lanzando una pelota de fútbol americano. Cuando le pregunté a Fritz si sabía dónde estaba, este me respondió: «Ni idea», obviamente sin mucho interés. Con el tiempo, sabría dónde encontrarla sin necesidad de preguntar a nadie, pero las primeras veces me inundó el pánico.

Mamá estaba en el comedor, sentada sola a la mesa. Para entonces todo había sido recogido, y el único indicio de que habíamos cenado allí eran unas cuantas servilletas de tela tiradas en el suelo. Permanecí en la puerta, con la esperanza de que advirtiera mi presencia y está la sacara de su ensimismamiento. No dije nada por miedo a molestarla. Mientras desde la cocina se filtraba el ruido de los platos y la cháchara sobre las sobras de la comida y la tarta helada, me acerqué a la mesa de caoba levemente iluminada por la luz del atardecer. El candelabro se había apagado, pero hubiera deseado que estuviera aún más oscuro para no tener que ver el rostro de mi madre, lo afectada que estaba.

Asegurándome de no rozarla, me senté en la silla junto a ella. No había ningún consuelo que pudiera darle o recibir, El único consuelo que podíamos darnos era el del mutuo entendimiento.

Ocho meses antes del regalo de la ropa interior, Donald e Ivana se casaron en la iglesia Marble Collegiate y celebraron la recepción de su boda en el Club 21. A mamá, Fritz y a mí se nos relegó a la mesa de los primos, y papá no asistió. La mentira que mi familia contó fue que Donald le había pedido a papá que fuera su padrino de bodas y el maestro de ceremonias en la recepción posterior (un papel que en realidad desempeñó Joey Bishop), pero los demás habían decidido que debía quedarse en Florida para cuidar del tío Vic, el cuñado de Gam.

La verdad era que mi abuelo no quería que fuera a la boda y le habían dicho que no asistiera.

Mientras Donald recorría Manhattan en busca de edificios embargados, yo perdía decenas de miles de dólares casi cada semana. Los viernes después de clase, iba a casa de una amiga y jugábamos a nuestra particular versión del Monopoly: el doble de casas y hoteles, y el doble de dinero. Nuestras sesiones maratonianas abarcaban todo el fin de semana. Una partida podía durar desde treinta minutos hasta varias horas. La única constante de todas las partidas era que yo perdía cada vez que jugaba.

Con el fin de tener alguna posibilidad de ganar (y que la partida supusiera cierto desafío para mi amiga), se me permitió pedir prestado al banco, y posteriormente a mi oponente, sumas cada vez más grandes de dinero. Escribíamos el total acumulado de mi gigantesca deuda en largas columnas de números en el interior de la tapa.

A pesar de mis malos resultados, nunca cambié ni una sola vez de estrategia: compraba todas las propiedades de Atlantic City en las que aterrizaba y construía casas y hoteles incluso cuando no tenía ninguna posibilidad de recuperar mi inversión. Por mucho dinero que estuviera perdiendo, duplicaba y triplicaba las apuestas. A mis amigas y a mí nos hacía muchísima gracia el hecho de que, a pesar de ser la nieta y la sobrina de unos magnates inmobiliarios, la industria inmobiliaria se me diera fatal. Resultó que Donald y yo teníamos algo en común después de todo.

Desde la muerte de mi padre, Donald ha señalado que «ellos» (es decir, él y mi abuelo) deberían haber «dejado» que Freddy hiciera aquello que le encantaba y que tan bien se le daba (volar) en lugar de obligarlo a dedicarse a algo que odiaba y se le daba fatal (la industria inmobiliaria). Pero nada indica que mi padre careciera de las habilidades necesarias para dirigir Trump Management, al igual que nada indica que Donald las tuviera.

En 1978, papá se despertó una noche en su apartamento de West Palm Beach con unos dolores de estómago insoportables. Se las arregló para arrastrarse hasta el coche y condujo hasta urgencias. Más tarde le dijo a mamá que no había acudido de inmediato al hospital. Había permanecido en el coche, preguntándose si debía molestarse en ir. Tal vez lo más sencillo, pensó, es que todo terminara. Lo único que lo había alentado a buscar ayuda era pensar en Fritz y en mí.

Papá estaba muy enfermo y fue trasladado a un hospital de Miami, donde los médicos le diagnosticaron una cardiopatía que requería cirugía. Fred le dijo a Maryanne que volara hasta Florida, lo sacara del hospital y lo llevara de vuelta a Nueva York. Aquel sería el último viaje al norte de mi padre. Después de pasar tres años en Florida, volvía a casa.

En Nueva York, los médicos descubrieron que había un problema con la válvula mitral de papá y que su corazón se había agrandado de forma peligrosa. Debía someterse a un procedimiento experimental para reemplazarla con una válvula sana del corazón de un cerdo.

Cuando mamá y yo llegamos a la Casa para ver a papá el día antes de su cirugía, Elizabeth ya estaba allí, sentada con él en su diminuto dormitorio de la infancia, el cual llamábamos «la celda». Estaba acostado en la cama, y yo lo besé en la mejilla pero no me senté a su lado por miedo a hacerle daño. Había visto a papá enfermo con anterioridad —de neumonía, de ictericia, de embriaguez y de desesperación—, pero su estado actual era alarmante. Sin haber cumplido aún los cuarenta, parecía un agotado anciano de ochenta años. Nos habló del procedimiento y de la válvula de cerdo, y mamá dijo: «Freddy, menos mal que no eres kosher». Todos nos echamos a reír.

Papá pasó la larga recuperación en la Casa. Un año después de la cirugía, se encontraba mejor, pero nunca llegaría a recuperarse lo bastante como para ser autosuficiente. Puede que parte del motivo fuera financiero. Empezó a trabajar para mi abuelo de nuevo, pero esta vez como personal de mantenimiento. No era sorprendente que al margen de unos cuantos intentos de rehabilitación, nunca hubiera dejado de beber. Me contó una vez que uno de sus médicos le había advertido: «Si tomas otra copa, acabarás muerto». Ni siquiera una cirugía a corazón abierto fue suficiente para detenerlo.

Aquel día de Acción de Gracias, papá se unió a nosotros por primera vez desde que se había mudado a Nueva York. Se sentó conmigo en el extremo de la mesa donde se sentaba Gam, pálido y tan delgado que daba miedo.

En plena comida, Gam empezó a atragantarse. «¿Estás bien, mamá?», preguntó papá. Nadie más pareció darse cuenta. Mientras ella seguía haciendo esfuerzos por respirar, un par de personas al otro lado de la mesa levantaron la mirada de sus platos para ver qué ocurría, pero luego volvieron a bajarla y continuaron comiendo.

—Vamos —dijo papá mientras agarraba a Gam del codo y la ayudaba a ponerse de pie con cuidado. La llevó a la cocina, donde oímos algunos ruidos y los angustiosos gruñidos de mi abuela mientras papá le hacía la maniobra de Heimlich; la había aprendido cuando había sido conductor de ambulancias voluntario a finales de los 60 y principios de los 70.

Cuando regresaron, hubo una ronda de aplausos desganados. «Buen trabajo, Freddy», dijo Rob, como si mi padre acabara de matar un mosquito.

Donald se estaba convirtiendo en una presencia constante incluso cuando no se encontraba en la Casa. Cada vez que mi padre quería ir a la cocina o volver a su habitación, tenía que pasar por al lado del montón de portadas de revistas y artículos de periódico que abarrotaban la mesa del desayuno. Desde la demanda de 1973, Donald había sido un habitual de la prensa sensacionalista de Nueva York, y mi abuelo había guardado todos los artículos que mencionaban su nombre.

El acuerdo del Grand Hyatt en el que Donald estaba trabajando cuando papá volvió a la Casa era simplemente una versión más compleja de la sociedad que mi abuelo había formado con Donald en 1972 en Nueva Jersey. El Grand Hyatt pudo llevarse a cabo en un principio gracias a la vinculación de mi abuelo con el alcalde de Nueva York, Abe Beame. Fred también contribuyó generosamente a las campañas del alcalde y del gobernador Hugh Carey. Louise Sunshine, la recaudadora de fondos de Carey, ayudó a cerrar el trato. Para sellarlo, Beame le ofreció una reducción de impuestos de 10 millones de dólares al año que se mantendría durante 40 años. Cuando comenzó la demolición del Hotel Commodore, la prensa neoyorquina, confiando en las palabras de Donald, presentó el acuerdo como algo que este había logrado por sí solo.

Tal vez para reducir la brecha que se había abierto entre nosotros desde que se mudó a Nueva York, en mayo de 1981 papá me dijo que quería organizar una fiesta por mi decimosexto cumpleaños. El Grand Hyatt había sido inaugurado por todo lo alto unos meses antes, y papá dijo que le preguntaría a Donald si podíamos celebrarla en una de las salas de fiesta más pequeñas. Donald, que parecía tener muchas ganas de presumir ante la familia de su nuevo proyecto, aceptó de inmediato e incluso le ofreció un descuento.

Papá le contó a mi abuelo los planes para la fiesta unos días después mientras los tres estábamos en el salón de desayuno, con los omnipresentes recortes de prensa cubriendo la mesa.

—Fred —dijo el abuelo enfadado—, Donald está muy ocupado, no tiene tiempo para estas chorradas.

Lo que se podía inferir entre líneas era: Donald es importante, y hace cosas importantes; tú no.

No sé cómo se resolvió la situación, pero papá finalmente se salió con la suya. Mi fiesta se celebraría.

La mayoría de mis invitados habían llegado y yo me encontraba con un pequeño grupo de amigos cuando Donald apareció. Se acercó a nosotros y en vez de saludarnos, abrió los brazos y dijo: «¿No es genial?».

Todos estuvimos de acuerdo en que era, sin duda, genial. Le di las gracias de nuevo por dejarnos usar el hotel, y luego le presenté a todo el mundo.

—¿Qué os ha parecido el vestíbulo? Es fantástico, ¿verdad?

—Fantástico —respondí. Mis amigos asintieron.

—Nadie más podría haber construido esto. Échale un vistazo a las ventanas.

Me preocupaba que a continuación fuera a contarnos lo asombrosos que eran los azulejos del baño, pero vio a mis abuelos, me dio la mano, me besó en la mejilla y dijo: «Pásatelo bien, Honeybunch», y fue a reunirse con ellos. Mi padre estaba sentado a un par de mesas de distancia, solo.

Cuando me volví hacia mis amigos, estos estaban mirándome fijamente.

—¿Qué demonios ha sido eso? —preguntó uno de ellos.

Durante el verano de 1981, Maryanne llevó a mi padre a la clínica Carrier en Belle Mead, Nueva Jersey, a una media hora de la propiedad Bedminster que Donald convertiría posteriormente en un campo de golf. Papá llevó a cabo el programa de treinta días, pero lo hizo a regañadientes. Al finalizar su estancia, Maryanne y su segundo marido, John Barry, lo recogieron y lo llevaron de vuelta a la Casa, que era, sin duda, el peor lugar donde podía estar. Cuando ella fue a verlo al día siguiente, papá ya había empezado a beber de nuevo.

Freddy había perdido su hogar y su familia, su profesión, gran parte de su fuerza de voluntad y a la mayoría de sus amigos. Con el tiempo, sus padres fueron los únicos que quedaron para cuidar de él. Y aquello no les gustó. Al final, la misma existencia de Freddy enfurecía a su padre.

El trato de Fred para con mi padre siempre les sirvió a sus otros hijos de lección, de advertencia. Sin embargo, en última instancia, su actitud controladora se convirtió en algo muy diferente. Fred esgrimía el poder de un torturador, pero al final estaba tan atrapado por las circunstancias de la creciente dependencia de Freddy, consecuencia de su alcoholismo y del deterioro de su salud, como Freddy estaba atado a él. Fred carecía de la imaginación o capacidad necesarias para ver más allá de las circunstancias que, en esencia, se encargó de crear. La situación constituía una prueba de que su poder tenía límites.

En agosto, tras volver a casa del campamento, les comuniqué a mis padres que quería ir a un internado. Le expliqué a papá que tras pasar diez años en Kew-Forest, el mismo diminuto colegio al que habían ido mis tíos y tías, me sentía agobiada y aburrida. Quería probarme a mí misma, ir a un lugar que tuviera campus, mejores instalaciones deportivas y más oportunidades. Papá me advirtió sobre los peligros de convertirse en un pececito en un océano lleno de tiburones, pero creo que entendió que, aunque las razones que había expuesto eran ciertas, también necesitaba alejarme de allí.

El problema era que solo disponía de tres semanas para averiguar a qué colegio quería asistir, llenar las solicitudes y esperar a que me aceptaran. Durante las dos últimas semanas de agosto de 1981, mi madre y yo visitamos casi todos los internados de Connecticut y Massachusetts.

Mientras esperaba las respuestas de los colegios, tuvimos que ir a pedirle permiso a mi abuelo, o al menos eso es lo que dijo papá.

Los dos nos situamos frente al sofá de dos plazas donde mi abuelo solía sentarse siempre, y papá le explicó mis intenciones.

—¿Para qué quiere ir allí? —preguntó mi abuelo, como si yo no estuviera delante—. Kew-Forest es un buen colegio.

Llevaba casi treinta años formando parte de la junta directiva.

—Es hora de que cambie de aires. Venga, papá. Le hará bien.

Mi abuelo se quejó de los gastos adicionales, a pesar de que el dinero iba a salir del fondo fiduciario de mi padre y no le afectaría a él en absoluto, y reiteró su convicción en la superioridad de Kew-Forest. Pero papá no se echó atrás.

No creo que a mi abuelo le importara en realidad a qué colegio fuera yo, pero le agradecí a papá que me apoyara una vez más.

El día antes de marcharme al internado, salí del apartamento del Highlander y fui en bicicleta a casa de mis abuelos. Me deslicé por el camino de entrada, apoyé la bici en el alto muro de ladrillos junto al garaje, y luego subí las escaleras hasta el sendero que conducía a la puerta trasera.

El jardín trasero rezumaba calma aquella tarde de principios de septiembre. Subí los dos escalones del patio de cemento y toqué el timbre. No había mobiliario de jardín, tan solo adoquines vacíos. La única persona que había usado el patio cuando éramos más pequeños era mi tío Rob. Hubo una época en que se habían colocado un par de sillas de hierro forjado, y cuando él volvía a casa para pasar el fin de semana, las acercaba y, usando una de ellas como reposapiés, se untaba con aceite para bebés y se colocaba el reflector plegable de aluminio bajo la barbilla para tomar el sol.

Pasaron algunos minutos. Me disponía a llamar de nuevo al timbre cuando mi abuela abrió la puerta por fin. Parecía sorprendida de verme. Tiré de la puerta mosquitera hacia mí para entrar, pero Gam permaneció en el umbral.

—Hola, Gam. He venido a ver a papá.

Gam se quedó allí plantada, limpiándose las manos en el delantal, y tensa, como si hubiera llegado en un momento poco oportuno. Le recordé que me marchaba al colegio al día siguiente. Era bastante alta, y con su pelo rubio recogido y tirante, parecía más severa de lo normal. No se apartó para dejarme entrar.

—Tu padre no está en casa —dijo—. No sé cuándo volverá.

Aquello me desconcertó. Sabía que mi padre quería despedirse de mí, habíamos hablado de ello tan solo unos días antes. Supuse que se había olvidado. Durante el último año, había olvidado a menudo que teníamos planes. No me sorprendió, exactamente, pero aun así había algo que no cuadraba. Justo encima de donde estábamos mi abuela y yo, el sonido de una radio atravesó la ventana abierta del dormitorio de mi padre.

Me encogí de hombros, fingiendo que me daba igual.

—Vale, pues dile que me llame más tarde.

Me acerqué a ella para darle un abrazo, y ella me rodeó con los brazos de forma tensa. Cuando me di la vuelta para marcharme, oí que la puerta se cerraba. Recorrí el sendero y bajé las escaleras hasta la entrada, me subí a mi bici y me fui a casa. Me marché al colegio al día siguiente. Papá no llegó a llamarme.

Estaba viendo una película en el nuevo auditorio del colegio Ethel Walker cuando el proyector se apagó y las luces se encendieron. Se suponía que íbamos a ver *El otro lado de la montaña*, una historia edificante sobre un esquiador olímpico que queda paralítico en un accidente de esquí. En cambio, habían proyectado *El otro lado de la medianoche,* un tipo de película muy diferente con una escena de violación al principio. Las profesoras se habían puesto bastante nerviosas intentando averiguar qué hacer a continuación, mientras las alumnas nos moríamos de risa.

Mientras charlaba y reía con algunas chicas de mi residencia, vi a Diane Dunn, la profesora de educación física, abriéndose camino entre la multitud. Dunn también era monitora en el campamento de vela al que iba todos los veranos, así que la conocía desde que era pequeña. Las demás alumnas de Walker se dirigían a ella como señorita Dunn, lo cual me resultaba imposible de entender. En el campamento yo la llamaba Dunn y ella me llamaba Trump, y así continuamos designándonos la una a la otra. Ella había sido en gran parte responsable de que decidiera asistir a aquel internado, y después de que yo llevara tan solo dos semanas allí, seguía siendo la única persona que conocía de verdad.

Cuando me hizo un ademán para que me acercara, sonreí y la saludé:

—Hola, Dunn.

—Trump, tienes que llamar a casa —dijo. Tenía un trozo de papel en la mano, pero no me lo entregó. Parecía nerviosa.

—¿Qué pasa?

—Tienes que llamar a tu madre.

—¿Ahora mismo?

—Sí. Si no está en casa, llama a tus abuelos. —Me hablaba como si se hubiera aprendido las frases de memoria. Eran casi las diez de la noche, y nunca había llamado a mis abuelos tan tarde, pero mi padre y mi abuela visitaban el hospital con bastante frecuencia: papá por culpa de su excesivo consumo de alcohol y tabaco a lo largo de los años, y Gam debido a su propensión a romperse huesos a causa de la osteoporosis. Así que no estaba demasiado preocupada, o más bien no creía que se tratara de algo más grave que de costumbre.

Mi dormitorio estaba junto al auditorio, así que salí, crucé el césped que los separaba y subí los dos tramos de escaleras hasta mi piso. El teléfono público se encontraba en la pared del rellano justo al lado de la puerta.

Llamé a mi madre a cobro revertido, pero no hubo respuesta, por lo que marqué el número de la Casa. Gam fue la que aceptó la llamada y contestó al teléfono, de modo que la emergencia no tenía que ver con ella. Tras un rápido y amortiguado: «Diga», le entregó el teléfono a mi abuelo de inmediato.

—Sí —dijo este, de manera enérgica y profesional, como siempre. Durante un momento, no pareció descabellado pensar que se había tratado de un error, que en realidad todo iba bien. Pero debía de haber una razón lo bastante urgente como para que me hicieran salir del auditorio. También había visto la forma en que Dunn había agrandado los ojos presa del pánico mientras me buscaba. No me percataría hasta mucho después de que ella ya lo sabía.

—¿Qué pasa? —pregunté.

—Tu madre acaba de marcharse —dijo—. Llegará a casa dentro de unos minutos.

Me lo imaginaba en la biblioteca mal iluminada, junto a la mesita del teléfono, con su camisa blanca almidonada, su corbata roja y su traje de tres piezas azul marino, impaciente por despacharme.

—Pero ¿qué ocurre?

—Se han llevado a tu padre al hospital, pero no hay nada de qué preocuparse —dijo, como si estuviera hablándome del tiempo.

Podría haber colgado el teléfono en aquel momento. Podría haber vuelto al auditorio y seguir con mi propósito de intentar encajar con las nuevas compañeras de clase de mi nuevo colegio.

—¿Es por su corazón? —Resultaba inaudito que yo, o cualquier otra persona que no fuera Donald, desafiara lo más mínimo a mi abuelo, pero era obvio que había una razón por la que me habían dicho que llamara a casa.

—Sí.

—Entonces es grave.

—Sí, yo diría que sí. —Hubo una pausa durante la cual, tal vez, pensó si contarme o no la verdad—. Vete a dormir —repuso al final—. Llama a tu madre por la mañana.

Y colgó.

Me quedé allí, en el rellano, con el teléfono en la mano, sin saber muy bien qué hacer. Una puerta se cerró de golpe en el piso de arriba. Siguieron unos pasos, cada vez más fuertes. Un par de alumnas pasaron junto a mí mientras se dirigían al primer piso. Colgué el teléfono, lo volví a descolgar, e intenté llamar a mi madre de nuevo.

Esta vez respondió al teléfono.

—Mamá, acabo de hablar con el abuelo. Me ha dicho que papá está en el hospital, pero no me ha contado qué ocurre. ¿Está bien?

—Ha sufrido un ataque al corazón —contestó mi madre.

Desde el instante en que pronunció aquellas palabras, el tiempo adquirió cualidades totalmente distintas. O puede que sucediera justo después, durante un lapso de tiempo que no recuerdo, y la conmoción que sentí fuera retroactiva. En cualquier caso, mi madre siguió hablando, aunque yo no oí ni una sola palabra. Que yo sepa, no hubo ninguna pausa en la conversación, pero hay una parte de la misma que para mí es inexistente.

—¿Ha sufrido un ataque al corazón? —dije, repitiendo las últimas palabras que había oído, como si no me hubiera perdido una parte crucial.

—Oh, Mary, ha muerto. —Mi madre se echó a llorar—. En su día lo quise con todo mi corazón —dijo.

Mientras mi madre seguía hablando, me deslicé por la pared hasta encontrarme sentada en el suelo del rellano. Dejé caer el teléfono, lo dejé colgado del cable, y esperé.

Durante algún momento de la tarde del sábado 26 de septiembre de 1981, uno de mis abuelos llamó a una ambulancia. En aquel entonces no lo sabía, pero mi padre llevaba en estado crítico tres semanas. Fue la primera vez que alguien pidió ayuda médica.

Mi abuela había sido paciente habitual del hospital Jamaica y del hospital Booth Memorial. Mi padre también había sido ingresado en el Jamaica varias veces. Todos los hijos de mis abuelos habían nacido allí, por lo que mi familia conocía al personal y la dirección del hospital desde hacía mucho. En concreto, mis abuelos habían donado millones de dólares al Jamaica, y en 1975 el *Pabellón Trump de cuidados y rehabilitación* había sido nombrado en honor a mi abuela. En cuanto al Booth Memorial, mi abuela se implicó muy activamente con los voluntarios del Ejército de Salvación que trabajaban allí, y fue también el lugar donde pasé gran parte de mi infancia debido a mis ataques graves de asma. Una única llamada telefónica habría bastado para que su hijo recibiera el mejor tratamiento posible en cualquiera de los dos centros. No se realizó ninguna llamada. La ambulancia llevó a mi padre al Centro Hospitalario Queens de Jamaica. Nadie lo acompañó.

Cuando la ambulancia se marchó, mis abuelos llamaron a sus otros cuatro hijos, pero solo localizaron a Donald y a Elizabeth. Para cuando estos llegaron a última hora de la tarde, la información proveniente del hospital dejaba bien claro que el estado de mi padre era grave. Aun así, nadie acudió a verlo.

Donald llamó a mi madre en varias ocasiones para informarle de lo ocurrido, pero el teléfono comunicaba todas las veces. Se puso en contacto con nuestro conserje y le dijo que la avisara por el intercomunicador.

Mamá llamó de inmediato a la Casa.

—Los médicos creen que lo más probable es que Freddy no salga de esta, Linda —le dijo Donald. Mi madre ni siquiera sabía que papá estaba enfermo.

—¿Te parece bien que me quede allí por si hay alguna noticia?

No quería estar sola.

Cuando mi madre llegó poco después, mis abuelos estaban sentados a solas junto al teléfono en la biblioteca: Donald y Elizabeth se habían ido al cine.

Mientras mamá y mis abuelos esperaban sentados, nadie dijo gran cosa. Un par de horas después, Donald y Elizabeth regresaron. Cuando les dijimos que no había noticias, Donald se marchó, y Elizabeth, que se acercaba a los cuarenta, se preparó una taza de té y subió a su habitación. Mientras mi madre se disponía a marcharse, sonó el teléfono. Era del hospital. Papá había sido declarado muerto a las 9:20 de la noche. Tenía cuarenta y dos años.

Nadie pensó en venir a buscarme al colegio, pero se hicieron los preparativos necesarios para que tomara un autobús a la mañana siguiente. Dunn me llevó a la estación Greyhound en Hartford, donde tomé un autobús rumbo a la terminal de autobuses de Manhattan. Tras recogerme, mi madre, mi hermano y yo fuimos hasta la Casa, donde el resto de la familia ya se había reunido en el salón de desayuno para discutir los preparativos del funeral. Maryanne y su hijo, mi primo David, se encontraban allí; también mi tío Robert y Blaine; así como Donald, Ivana, embarazada de casi ocho meses de Ivanka, y su hijo de tres años, Donny. Apenas nos dirigieron la palabra a mi madre, a mi hermano o a mí. Hubo algunos intentos de cordialidad forzada, la mayoría por parte de Rob, pero no surtieron demasiado efecto y pronto lo dejó estar. Mi abuelo y Maryanne hablaban en voz baja. A mi abuela le preocupaba el atuendo que iba a llevar en el velatorio: mi abuelo había elegido para ella un traje de pantalón negro, y a esta no le entusiasmaba la idea.

Por la tarde, fuimos a la funeraria R. Stutzmann & Son, un local pequeño en Queens Village que se encontraba a diez minutos de la Casa, para una visita privada. Antes de entrar en la sala principal, donde ya se había colocado el ataúd, le pregunté a mi tío Robert si podía hablar con él. Lo llevé a un rincón alejado de la sala de visitas.

—Quiero ver el cuerpo de papá.

No había motivo para que me anduviera con rodeos. No disponía de mucho tiempo.

—No puedes, Mary. Es imposible.

—Rob, es importante.

No era por razones religiosas ni porque pensara que así era como se hacían las cosas; nunca antes había estado en un funeral y desconocía el protocolo. A pesar de lo mucho que necesitaba ver a mi padre, no podía explicarle el motivo. ¿Cómo iba a decirle: «No creo que esté muerto? No hay ninguna razón para no creerlo. Ni siquiera sabía que estaba enfermo». Tan solo podía decirle: «Necesito verlo».

Rob guardó silencio un momento y luego dijo por fin: «No, cielito. Van a incinerar a tu padre, y su cuerpo no ha sido debidamente preparado. Sería horrible que ese fuera el último recuerdo que tuvieras de él.

—Me da igual. —Sentía una desesperación que no entendía. Rob me miró y luego se dio la vuelta para marcharse. Me coloqué delante de él—. Por favor, Rob.

Volvió a detenerse, y luego echó a andar por el pasillo.

—Vamos —dijo—. Deberíamos entrar.

El lunes, entre los dos turnos del velatorio, la familia regresó a la Casa para almorzar. De camino, Donald e Ivana habían ido al supermercado para comprar grandes cantidades de fiambres al vacío que Maryanne y Elizabeth sirvieron en la mesa del desayuno y los demás comimos o nos ignoramos en relativo silencio.

Yo no tenía apetito y no formaba parte de la conversación, así que dejé el salón de desayuno y vagué por la casa, como solía hacer cuando era pequeña. Me dirigí hasta las escaleras traseras frente a la puerta de la biblioteca y vi a Donald con el teléfono en la mano. No sé si acababa de terminar una llamada o estaba a punto de hacerla, pero cuando me vio de pie en el pasillo, colgó el teléfono. Ninguno de los dos habló. No había visto a Donald desde el Día de la Madre, el cual habíamos celebrado en North Hills, el club de campo de mis abuelos en Long Island. No esperaba que nadie, excepto mi abuela, llorara la muerte de mi padre, pero Donald, y en particular mi abuelo, parecían estar tomándosela bastante bien.

—Hola, Donald.

—¿Qué ocurre, Honeybunch?

A veces me preguntaba si alguno de mis tíos sabía mi nombre.

—Papá va a ser incinerado, ¿verdad?

Hacía años que sabía que esos eran los deseos de mi padre. Tenía tan claro que no quería que lo enterraran, que aquella fue una de las primeras cosas que le dijo a mi madre después de que se casaran. Su insistencia rozaba la obsesión, por lo que yo había estado al tanto del asunto antes de cumplir los diez años.

—Sí.

—¿Y luego qué? No lo van a enterrar, ¿verdad?

Una mirada de impaciencia cruzó su rostro. Era evidente que no quería tener aquella conversación.

—Creo que sí.

—Sabes que eso no tiene sentido, ¿verdad?

—Es lo que quiere papá.

Descolgó el teléfono. Cuando se dio cuenta de que seguía allí, se encogió de hombros y empezó a marcar.

Me di la vuelta para subir la escalera trasera. En uno de los extremos del largo pasillo del segundo piso se encontraban las habitaciones de Elizabeth y Maryanne, separadas por el baño que ambas compartían; en el otro, el dormitorio de Donald y Robert estaba equipado con colchas azules y doradas y con ventanas a juego. La habitación matrimonial de mis abuelos, que era mucho más grande, estaba justo al lado del suyo e incluía el vestidor independiente de Gam con paredes de espejo. En medio del pasillo se encontraba la Celda. La cama plegable de papá estaba deshecha, le habían quitado las sábanas, dejando al descubierto el delgado colchón. Su radio portátil seguía sobre la mesita de noche. La puerta del armario estaba entreabierta, y vi un par de camisas blancas abotonadas que colgaban torcidas en unas perchas de alambre. Incluso en un día tan soleado como aquel, la única ventana apenas dejaba entrar la luz, y la habitación tenía un aspecto austero en la penumbra. Pensé que debía entrar, pero allí no había nada para mí. Volví a bajar las escaleras.

El velatorio se llevó a cabo durante la primera noche de Rosh Hashaná, pero aun así acudieron muchos de los hermanos de fraternidad de papá de la universidad. Su amigo Stu, que había asistido a menudo a cenas y galas benéficas en el Hospital Jamaica con su esposa, Judy, probablemente conocía a mi familia mejor que cualquiera de los amigos de papá, con la excepción de Billy Drake. Stu vio a mi abuelo solo al fondo de la estancia y se acercó para presentar sus respetos. Ambos se estrecharon la mano y, después de darle el pésame, Stu le dijo:

—Parece que el sector inmobiliario no pasa por un buen momento. Espero que Donald esté bien. Sale a menudo en las noticias, y parece que debe mucho dinero a los bancos.

Fred rodeó con el brazo al amigo de su hijo muerto y dijo con una sonrisa:

—Stuart, no te preocupes por Donald. Todo se arreglará. Donald no se encontraba allí.

Mi hermano pronunció el único panegírico (o, al menos, el único que recuerdo), el cual había escrito en una hoja de papel, seguramente durante el viaje en avión desde Orlando, donde cursaba su segundo año en la Universidad Rollins. Recordaba los buenos momentos que él y papá habían pasado juntos, la mayoría de los cuales habían ocurrido antes de que yo fuera lo bastante mayor como para acordarme, pero se negó a eludir la esencia primordial de la vida de mi padre. En un momento dado se refirió a papá como la oveja negra de la familia, y acto seguido se oyeron las exclamaciones de asombro de los invitados. Me sentí reflejada en sus palabras y me embargó una sensación de justicia... por fin. Mi hermano, al que siempre se le había dado mejor que a mí lidiar con la familia, se había atrevido a decir la verdad. Admiré su sinceridad pero también sentí envidia de que pareciera tener muchos más buenos recuerdos de mi padre que yo.

Al final del velatorio, vi cómo los asistentes comenzaban a ponerse en fila, se acercaban al ataúd y se detenían un instante con los ojos cerrados y las manos unidas —algunos se arrodillaban en una banqueta acolchada que parecía haberse colocado allí con ese mismo propósito—, para acto seguido continuar avanzando.

Cuando le llegó el turno a mi tía Elizabeth, esta empezó a sollozar de manera incontrolable. En medio de todo aquel estoicismo, su despliegue de emoción resultaba estremecedor, y la gente la contemplaba con muda preocupación. Pero nadie se acercó a ella. Apoyó las manos sobre el ataúd y se deslizó hasta quedar de rodillas. Su cuerpo temblaba tanto que perdió el equilibrio y cayó de costado al suelo. La vi caer. Se quedó allí tumbada como si no tuviera ni idea de dónde se encontraba o qué estaba haciendo y siguió llorando. Donald y Robert se acercaron finalmente desde el fondo de la sala, donde habían estado hablando con mi abuelo, que permaneció inmóvil.

Mis tíos levantaron a Elizabeth del suelo. Ella avanzó cojeando entre ambos, mientras ellos la sacaban de allí.

Por fin, me acerqué al ataúd, vacilante. Me pareció imposiblemente pequeño, y pensé que debía de haber un error. Era absurdo pensar que mi padre, que medía más 1,85, pudiera caber dentro de aquella caja. Ignoré la banqueta y me quedé de pie. Incliné la cabeza, contemplando fijamente uno de los herrajes de latón del ataúd. No se me ocurrió nada que decir.

—Hola, papá —dije finalmente en voz baja. Me estrujé los sesos mientras permanecía ahí plantada mirando hacia abajo, hasta que se me ocurrió que quizá me encontraba en el extremo equivocado del ataúd, y que la conversación que intentaba tener con mi padre la estaba teniendo en realidad con sus pies. Avergonzada, di un paso atrás y volví con mis amigos.

No hubo ninguna ceremonia religiosa. El ataúd fue trasladado al crematorio, y todos nos reunimos de forma fugaz en la capilla de al lado —que se encontraba extrañamente inundada por la luz del sol—, donde un pastor de una religión no especificada puso en evidencia no solo su total desconocimiento de mi padre sino también el hecho de que nadie de la familia se había molestado en hablarle del hombre que no tardaría en enviar a las llamas.

Cuando el funeral llegó a su fin, mi familia se dirigió al cementerio All Faith en Middle Village donde se encontraba la parcela familiar; los padres de mi abuelo, Friedrich y Elizabeth Trump, eran los únicos ocupantes en aquel momento. Posteriormente descubrí que durante los dos días previos, mi madre, mi hermano y yo habíamos suplicado por separado a diferentes miembros de la familia que permitieran que las cenizas de mi padre se esparcieran en las aguas del océano Atlántico.

Antes de salir de la capilla, me acerqué a mi abuelo para pedírselo por última vez.

—Abuelo —le dije—, no podemos enterrar las cenizas de papá.

—La decisión no te corresponde tomarla a ti.

Empezó a alejarse, pero le agarré de la manga, consciente de que aquella era mi última oportunidad.

—¿Acaso no le correspondía tomarla a él? —inquirí—. Deseaba que lo incineraran porque no quería ser enterrado. Por favor, deja que llevemos sus cenizas a Montauk.

En cuanto pronuncié aquellas palabras, me di cuenta de que había cometido un error fatal. Mi abuelo también se dio cuenta. Asociaba Montauk con los frívolos pasatiempos de mi padre, tales como los paseos en barco y la pesca, actividades que lo habían distraído del importante negocio inmobiliario.

—Montauk —repitió, casi sonriendo—. De eso, ni hablar. Sube al coche.

La luz del sol se reflejó en la lápida de mármol y granito al tiempo que mi abuelo, que entornó los ojos azul claro bajo sus enormes cejas debido al resplandor, explicaba que la lápida, que ya tenía grabados los nombres de su madre y de su padre, se retiraría temporalmente para poder añadir el nombre y las fechas de mi padre. Mientras hablaba, extendió las manos, igual que un vendedor de coches de segunda mano que brinca sobre las puntas de sus pies, casi de forma desenfadada, sabiendo que se encuentra ante un patán.

Mi abuelo cumplió con la letra de la ley y luego hizo lo que le dio la gana. Después de que lo incineraran, introdujeron sus cenizas en una caja de metal y las enterraron.

El certificado de defunción de papá, con fecha de 29 de septiembre de 1981, afirma que murió por causas naturales. No sé cómo eso es posible a los cuarenta y dos años. No había testamento. Desconozco si quería dejarnos algo —libros, fotografías, sus viejos discos, sus medallas del ROTC y de la Guardia Nacional—. A mi hermano le dieron el reloj Timex de papá. A mí no me dieron nada.

La Casa pareció volverse más fría a medida que me hacía mayor. El primer Día de Acción de Gracias tras la muerte de papá, la Casa siguió pareciéndome fría.

Después de cenar, Rob se acercó y me puso la mano en el hombro. Señaló a mi prima recién nacida, Ivanka, que dormía en su cuna. «¿Ves?, así es el ciclo de la vida». Entendí lo que intentaba decir, pero parecía que hubiera estado a punto de soltar: «Despidámonos de lo viejo y saludemos a lo nuevo». Al menos lo había intentado. Fred y Donald actuaban como si nada hubiera ocurrido. El hijo de uno, y hermano del otro, había muerto, pero charlaban sobre política neoyorquina, acuerdos y mujeres feas igual que siempre habían hecho.

Cuando Fritz y yo volvimos a casa durante las vacaciones de Navidad, conocimos a Irwin Durben, uno de los abogados de mi abuelo y, tras la muerte de Matthew Tosti, la persona con la que mi madre más se comunicaba para revisar los detalles de la herencia de mi padre. Me sorprendió descubrir que la tenía. Pensé que había muerto prácticamente sin dinero. Pero al parecer mi abuelo y mi bisabuela habían creado unos fondos fiduciarios, como el que se había usado para pagar el internado, hecho que yo desconocía en aquel momento. Debían dividirse entre mi hermano y yo y mantenerse en fideicomiso hasta que cumpliéramos treinta años. Las personas designadas para administrar esos fondos fiduciarios y proteger nuestros intereses financieros a largo plazo fueron Irwin Durben, mi tía Maryanne, y mis tíos Donald y Robert. A pesar de que Irwin era el testaferro —era él a quién teníamos que llamar o con quien debíamos reunirnos si teníamos alguna pregunta, algún problema o cualquier necesidad financiera imprevista—, Donald tenía la última palabra y era el cofirmante de todos los cheques.

Varios montones de documentos cubrían el escritorio de Irwin. Este se sentó en su silla tras ellos y comenzó a explicarnos exactamente lo que estábamos a punto de firmar. Antes de que la cosa se alargara demasiado, Fritz lo interrumpió y dijo:

—Mary y yo ya hemos hablado del asunto, y primero debemos asegurarnos de que a mamá no le faltará de nada.

—Desde luego —respondió Irwin.

Y durante las siguientes dos horas, nos explicó de forma detallada cada documento. No me quedaba clara la cantidad real de dinero que mi padre nos había dejado. Los fideicomisos eran arreglos financieros complejos (al menos para alguien de dieciséis años), y existía lo que parecía ser una enorme carga fiscal. Tras explicarnos el significado de cada documento, Irwin lo deslizaba por el escritorio para que lo firmáramos.

Cuando terminó, preguntó si teníamos alguna pregunta.

—No —dijo Fritz.

Sacudí la cabeza. No había entendido nada de lo que Irwin había dicho.

TERCERA PARTE

Humo y espejos

CAPÍTULO NUEVE

El arte del rescate financiero

«MARY TRUMP ASALTADA» los tabloides de Nueva York, sutiles como siempre, publicaron la noticia en tamaño de letra de 100 puntos el día después de Halloween de 1991. A pesar de que yo ya sabía lo que había sucedido, era impactante ver los titulares cuando pasabas por los quioscos de noticias de camino al metro.

Aunque mi abuela no acababa de ser asaltada. El chico que había arrancado su bolso en el estacionamiento de la tienda de comestibles mientras cargaba las bolsas de compras en su Rolls-Royce, había golpeado su cabeza contra el auto con tal fuerza que su cerebro había sufrido una hemorragia, y había perdido algo de vista y oído. Al chocar con el pavimento, se fracturó la pelvis por varios lugares y se rompieron las costillas, lesiones que sin duda eran más peligrosas de lo que hubieran sido si no hubiera tenido una osteoporosis grave. Cuando llegó al Booth Memorial Hospital, su condición era grave, y no estábamos seguros de si iba a sobrevivir.

No fue hasta que la trasladaron de la unidad de cuidados intensivos a una habitación privada que su progreso se hizo visible, y pasaron semanas antes de que su dolor fuera soportable. Cuando su apetito empezó a volver, le llevé lo que quería. Un día estaba bebiendo el batido de caramelo que había recogido en el camino cuando Donald apareció.

Nos saludó a los dos y la besó rápidamente.

—Mamá, te ves muy bien.

—Está mucho mejor —dije. Se sentó en una silla junto a la cama y puso un pie en el borde del marco de la cama.

—Mary me ha estado visitando todos los días —dijo Gam, sonriéndome.

Se volvió hacia mí.

—Debe ser agradable tener tanto tiempo libre.

Miré a Gam. Ella puso los ojos en blanco, y traté de no reírme.

—¿Cómo estás, cariño? —le preguntó Gam.

—No preguntes —Parecía molesto.

Gam le preguntó sobre sus hijos, si había algo nuevo entre él e Ivana. No tenía mucho que decir; claramente aburrido, se fue a los diez minutos más o menos. Gam miró a la puerta para asegurarse de que se había ido. «Alguien está de mal humor».

Ahora sí me reí.

—Para ser justos, está pasando por un momento difícil —, dije. En los últimos doce meses, el Taj Mahal, su casino favorito de Atlantic City, se había declarado en bancarrota poco más de un año después de su apertura; su matrimonio era un desastre, gracias en parte a su muy público romance con Marla Maples; los bancos le habían dado una asignación; y la versión en rústica de su segundo libro, *Surviving at the Top*, (Sobrevivir en la cima) se había publicado bajo el título *The Art of Survival.* (El arte de la supervivencia). A pesar del hecho de que se había buscado todos esos males, parecía molesto en lugar de humillado.

—Pobre Donald —se burló Gam. Parecía casi mareada, y pensé que el personal del hospital podría necesitar reducir sus medicamentos para el dolor— Siempre fue así. No debería decirlo, pero cuando fue a la Academia Militar, me sentí muy aliviada. No escuchaba a nadie, especialmente a mí, y atormentaba a Robert. Y, ¡oh, Mary! Era tan descuidado. En la escuela le dieron medallas por su pulcritud, y cuando volvió a casa, ¡seguía siendo un descuidado!

—¿Qué hiciste?

—¿Qué podía hacer? Nunca me escuchó. Y a tu abuelo no le importaba. —Sacudió la cabeza— Donald se libraría hasta de asesinato.

Eso me sorprendió. Siempre había asumido que mi abuelo era un firme capataz. «Eso no sonaba a la imagen que tenía de él».

En ese momento, mi abuelo estaba en el Hospital de Cirugía Especial en Manhattan haciéndose un reemplazo de cadera. Creo que sólo había estado en el hospital una vez, cuando le quitaron un tumor en el cuello cerca de la oreja derecha en 1989. No sé si el momento de su cirugía de cadera fue una coincidencia o si fue programada después de que Gam fuese ingresada, para que no tuviera que lidiar con él mientras ella se recuperaba. El estado mental del abuelo se había estado deteriorando por algún tiempo y, mientras estaba en el hospital, definitivamente había empeorado. Unas cuantas veces, tarde en la noche, las enfermeras lo encontraron tratando de salir vistiendo solo unos calzoncillos. Les dijo que iba a encontrar a la Sra. Trump. Gam parecía muy feliz de no ser encontrada.

El éxito percibido por Donald con el Grand Hyatt en 1980 había allanado el camino para la construcción de la Trump Tower, que se había inaugurado con gran fanfarria en 1983. Desde su supuestamente pésimo trato a los trabajadores indocumentados que la construyeron, hasta la supuesta participación de la mafia, el proyecto estaba lleno de controversias. Las afrentas culminaron en la destrucción de los hermosos relieves de piedra caliza Art Deco de la fachada del edificio Bonwit Teller, que arrasó para hacer sitio a los suyos. Donald había prometido donar esas piezas de importancia histórica al Museo Metropolitano de Arte. Dándose cuenta de que quitarlos en una sola pieza costaría dinero y retrasaría la construcción, ordenó en cambio que fueran destruidos. Cuando se enfrentó a esa violación de la confianza y buen gusto, se encogió de hombros, declarando que esas esculturas no tenían «mérito artístico alguno», como si él supiera más que la considerada evaluación de los expertos. Con el tiempo esa actitud, que él sabía mejor, se afianzaría aún más: a medida que su base de conocimientos disminuye (sobre todo en las áreas de gobierno), sus pretensiones de saberlo todo aumenta en proporción directa a su inseguridad, que es el momento donde nos encontramos estamos ahora.

La verdadera razón por la que los dos primeros proyectos de Donald fueron adquiridos y desarrollados relativamente sin problemas fue, en gran parte, debido a la experiencia de Fred como desarrollador y negociador. Ninguno de los dos proyectos habría sido posible sin sus contactos, influencia, aprobación, dinero, conocimiento y, tal vez lo más importante, el respaldo a Donald.

Antes de ese punto, Donald había confiado completamente en el dinero y la influencia de Fred, aunque nunca lo reconoció y acreditó públicamente su éxito a su propia riqueza y sabiduría. Los medios de comunicación estaban más que contentos de seguir adelante sin cuestionarlo, y los bancos siguieron el ejemplo cuando Donald empezó a perseguir la idea de convertirse en operador de un casino en Nueva Jersey, que en 1977 había legalizado el juego en Atlantic City en un esfuerzo por salvar la agitada ciudad balnearia. Si la opinión de mi abuelo hubiera tenido algún peso, Donald nunca habría invertido en Atlantic City. Manhattan valía la pena el riesgo, en lo que a Fred se refería, pero en Atlantic City no tendría nada más que dinero y consejos que ofrecer, ninguna influencia política o conocimiento de la industria en la que apoyarse. Para entonces la influencia de Fred sobre él estaba disminuyendo, y en 1982 Donald solicitó su licencia de juego.

Mientras su hermano buscaba oportunidades de inversión, Maryanne, que había sido asistente del fiscal de distrito en Nueva Jersey desde mediados de los 70, le pidió a Donald que le pidiera un favor a Roy Cohn. Cohn tenía suficiente influencia en la administración Reagan como para que le dieran a él acceso al AZT, un tratamiento experimental contra el SIDA, así como también tenía influencia en los nombramientos judiciales. Convenientemente, se había producido una vacante en la Corte de Distrito de los EE.UU. para el Distrito de Nueva Jersey. Maryanne pensó que sería una gran oportunidad para ella, y Donald pensó que sería útil tener a un pariente cercano, sentado en la corte de un Estado donde pensaba hacer muchos negocios. Cohn llamó al Fiscal General Ed Meese, y Maryanne fue nominada en septiembre y confirmada en octubre.

En otro signo más de la menguante influencia de Fred, Donald había comprado un casino de más de 300 millones de dólares, que se convertiría en el Trump Castle sin ser visto en 1985, sólo un año después de haber comprado el Harrah's, que se convirtió en el Trump Plaza. Para Donald, demasiado de algo bueno, era mucho mejor; creía que Atlantic City tenía un potencial ilimitado, así que dos casinos eran mejores que uno. Para entonces, las empresas de Donald ya tenían una deuda de miles de millones de dólares (en 1990, su obligación personal se elevaría a 975 millones de dólares). Aun así, ese mismo año compró Mar-a-Lago por 8 millones de dólares. En 1988, compró un yate por 29 millones de dólares y luego, en 1989, la aerolínea regional Eastern Air Lines por 365 millones de dólares. En 1990, tuvo que emitir casi 700 millones de dólares en bonos, con una tasa de interés del 14%, sólo para poder terminar la construcción de su tercer casino, el Taj Mahal. Parecía que el gran volumen de compras, el precio de las adquisiciones y la audacia de las transacciones impedían que todo el mundo, incluidos los bancos, prestara atención a la rápida acumulación de deuda y a su dudosa perspicacia para los negocios.

En ese entonces, el esquema de colores favorito de Donald era el rojo, negro y oro, así que el brillo barato de Atlantic City, le atraía casi tanto como el atractivo del dinero fácil. La casa siempre gana, por lo que parecía ser una apuesta segura para cualquiera que pudiera permitirse comprar un casino allí. Atlantic City estaba completamente fuera del alcance de Fred, lo que también atraía a Donald. Dejando a un lado las inversiones monetarias masivas hechas por Fred y otros, operar un casino, a diferencia del Grand Hyatt y la Trump Tower, que eran proyectos de desarrollo que finalmente eran administrados por otras entidades, requería una continua gestión. Como tal, habría sido la primera oportunidad de Donald para tener éxito independientemente de su padre.

Tener su propio casino le proporcionó a Donald un lienzo de gran tamaño; podía adaptar todo el mundo a sus especificaciones. Y si un casino era bueno, dos serían mejores y tres incluso mejores que eso. Por supuesto, sus casinos competían entre sí, y eventualmente canibalizaban las ganancias de los demás. Tan absurdo como era, había una cierta lógica a su deseo de querer más, después de todo, a su padre eso le había funcionado. Pero Donald no entendía, y se negaba a aprender, que poseer y dirigir casinos era muy diferente de poseer y dirigir propiedades de alquiler en Brooklyn, desde el modelo de negocio y el mercado hasta la base de clientes y el cálculo involucrado. Como no podía ver esa evidente distinción, le era fácil creer que más era mejor en Atlantic City, como lo había sido para mi abuelo en los barrios periféricos de Nueva York. Si un casino era una vaca lechera, tres serían un rebaño de ellas. Haría con los casinos lo que Fred había hecho con sus edificios de apartamentos.

La única parte del escenario que desafía toda explicación es el hecho de que los bancos e inversores de sus dos primeros casinos no objetaron con mayor fuerza a que abriera un tercero, lo que cortaría sus propios fondos. Tenía aún menos sentido que pudiera encontrar a alguien interesado en invertir en él. Incluso una mirada casual a los números —especialmente los que hacen al monto de la deuda— debería haber asustado al prestamista más temerario. A finales de los años 80, nadie le dijo que no a Donald, legitimando así otro proyecto equivocado que tenía el beneficio secundario de reforzar el ego de un hombre que no tenía forma de hacerlo triunfar.

En agosto de ese año, se publicó *Surviving at the Top*, y en pocas semanas quedaría claro que el tema y el momento del libro eran lo suficientemente malos como para calificarlo como parodia.

En junio de 1990, Donald no pudo cumplir un pago de 43 millones de dólares por el Trump Castle. Seis meses después, mi abuelo envió a su chofer con más de 3 millones de dólares en efectivo para comprar fichas para el Castle. En otras palabras, compró las fichas sin intención de apostar con ellas; su chofer simplemente las puso en un maletín y se fue del casino. Ni siquiera eso fue suficiente. Al día siguiente, mi abuelo envió otros 150.000 dólares al Castle, presumiblemente para comprar más fichas. Aunque esas maniobras ayudaron temporalmente, resultaron en que mi abuelo tuviera que pagar una multa 30.000 dólares por violar una regla de la comisión de juegos que prohíbe la financiación no autorizada a los casinos. Si quería seguir prestando dinero a Donald para mantener sus casinos a flote (lo cual hizo), también se le exigiría que obtuviera una licencia de juego en Nueva Jersey. Pero era demasiado tarde. Donald podría haber controlado el 30 por ciento de la cuota de mercado de Atlantic City, pero el Taj estaba haciendo imposible que sus otros dos casinos ganaran dinero (el Plaza y el Castle perdieron un total de 58 millones de dólares el año en que el Taj abrió), las tres propiedades tenían una deuda anual de 94 millones de dólares, y solo el Taj necesitaba *más de un millón de dólares al día* para cubrir gastos.

Los bancos estaban sangrando dinero. Justo cuando el Taj se inauguraba, Donald y sus prestamistas se reunían para tratar de averiguar cómo controlar y manejar sus gastos. La posibilidad de más impagos y quiebras aún se cernía sobre él, y había que encontrar una solución que protegiera la imagen de Donald, lo que a su vez protegería el dinero de los bancos. Sin el barniz de éxito y confianza que él proyectaba (y habían proyectado para él), los banqueros temían que sus propiedades, ya en problemas, perdieran aún más valor. Su apellido era lo valioso: sin el nombre no habría nuevos jugadores o inquilinos, o personas dispuestas a comprar bonos, y por lo tanto no habría nuevos ingresos.

Además de darle a Donald el dinero para cubrir los gastos operativos de su negocio, los bancos llegaron a un acuerdo con él en mayo de 1990 para darle un subsidio de 450.000 dólares al mes, es decir, casi 5,5 millones de dólares al año por haber fracasado miserablemente. Ese dinero era sólo para gastos personales: el apartamento triplex de la Trump Tower, el jet privado, la hipoteca de Mar-a-Lago. Para vender su imagen, Donald necesitaba poder seguir viviendo el estilo de vida que promocionaba y que le reforzaba.

Para que los bancos lo vigilaran, Donald se reunía con ellos todos los viernes para informar de sus gastos y del progreso que había hecho vendiendo activos como el yate. En mayo de 1990, no se podía negar lo grave que era la situación. Por mucho que Donald se quejara a Robert de que los bancos estaban «matándolo», la verdad era que estaba en deuda con ellos de una manera que nunca había estado con su padre: nunca antes había estado controlado, y mucho menos tan de cerca, y eso le irritaba. Estaba legalmente obligado a pagar a los bancos, y si no lo hacía, habría consecuencias. Al menos debería haberlas.

A pesar de las restricciones, Donald siguió gastando dinero que no tenía, incluyendo 250.000 dólares para el anillo de compromiso de Marla y 10 millones de dólares para Ivana como parte de su acuerdo de divorcio. Creo que nunca se le ocurrió que no podía gastar lo que quisiera sin importar las circunstancias. Los bancos le amonestaron por traicionar su acuerdo, pero nunca tomaron ninguna medida contra él, lo que sólo reforzó su creencia de que podía hacer lo que quisiera, como casi siempre lo había hecho.

En cierto modo, no puedes culpar a Donald. En Atlantic City, se había desligado de su necesidad de aprobación o permiso de su padre. Ya no necesitaba hablar de sí mismo; su exagerada evaluación de sí mismo fue simultáneamente alimentada y validada por los bancos que le lanzaban cientos de millones de dólares y los medios de comunicación que le prodigaban atención y elogios injustificados. La combinación de ambos lo dejó ciego ante la gravedad de su situación. Los mitos de mi abuelo sobre

Donald se reforzaban ahora en todo el mundo.

Sin embargo, independientemente de quién los diseminara, seguían siendo mitos. Donald era, en esencia, todavía la construcción de Fred. Ahora pertenecía a los bancos y a los medios de comunicación. Era capaz y dependiente de ellos, como lo había sido de Fred. Tenía una racha de encanto superficial, incluso carisma, que absorbía a ciertas personas. Cuando su habilidad para el encanto se topó con un muro, desplegó otra «estrategia de negocios»: hacer berrinches durante los cuales amenazó con la bancarrota o con arruinar a cualquiera que no le dejara tener lo que quería. Sea como fuere, ganó.

Donald era exitoso porque tenía éxito. Esa era una premisa que ignoraba una realidad fundamental: no había logrado y no podría lograr los resultados que se le atribuían. A pesar de eso, su ego, ahora desatado, tenía que ser alimentado continuamente, no sólo por su familia, sino por todos los que se cruzaran con él.

La élite de Nueva York nunca lo aceptaría como otra cosa que el bufón de la corte de Queens, pero también validaron sus pretensiones y su gran imagen de sí mismo, invitándolo a sus fiestas y permitiéndole frecuentar sus guaridas (como Le Club). Cuanto más deseaban los neoyorquinos el espectáculo, más dispuestos estaban los medios de comunicación a proporcionarlo, incluso a expensas de historias más importantes y sustanciales. ¿Por qué aburrirlos con artículos difíciles de seguir sobre sus enrevesadas transacciones bancarias? Las distracciones y los juegos de manos beneficiaron enormemente a Donald, dándole exactamente lo que quería: la adulación continua de los medios que se centraban en su divorcio salaz y sus supuestas proezas sexuales. Si los medios podían negar la realidad, él también podía.

Por algún milagro, entré en la Universidad de Tufts después del internado, y a pesar de abandonar el segundo semestre de mi primer año, me gradué en 1989. Un año más tarde, justo antes de la modesta compra de mi abuelo de 3,15 millones de dólares en fichas de casino, entré en el Programa de Postgrado de Inglés y Literatura comparada de la Universidad de Columbia.

Dos meses después de que comenzara el semestre, robaron en mi apartamento. Se llevaron todos mis aparatos electrónicos, incluyendo mi máquina de escribir, que era esencial para la escuela. Cuando llamé a Irwin para ver si podía conseguir un adelanto de mi asignación, se negó. Me dijo que mi abuelo pensaba que lo mejor que podía hacer era conseguir un trabajo.

La siguiente vez que visité a mi abuela en la Casa, le expliqué la situación y ella se ofreció a hacerme un cheque. —Está bien, Gam. Sólo tengo que esperar un par de semanas.

—Mary —dijo— nunca rechaces un regalo de dinero.

Me hizo el cheque, y pude comprar una máquina de escribir esa misma semana.

Al poco tiempo recibí una llamada furiosa de Irwin.

—¿Le pediste dinero a tu abuela?

—No exactamente —dije— Le comenté que me habían robado y ella me ayudó.

Mientras revisaba los cheques cancelados de todas sus cuentas personales y de negocios, así como las de mi abuela, como lo hacía al final de cada mes, mi abuelo había descubierto el cheque que mi abuela me había firmado, y estaba furioso.

—Tienes que tener cuidado —me advirtió Irwin— Tu abuelo a menudo habla de repudiarte.

Recibí otra llamada de Irwin unas semanas después. Mi abuelo estaba enfadado conmigo otra vez, esta vez porque no le gustaba la firma con la que endosaba mis cheques.

—Irwin, tienes que estar bromeando.

—No lo estoy. —Odia el hecho de que sea ilegible.

—Es una *firma.*

Hizo una pausa y suavizó su tono. —Cámbiala. Mary, tienes que jugar el juego. Tu abuelo piensa que estás siendo egoísta, y puede que no quede nada para cuando cumplas los treinta. Nunca entendí lo que quería decir con «el juego», era mi familia, no una burocracia.

—No veo qué es lo que estoy haciendo mal. Estoy haciendo un Máster en una universidad de la Ivy League.

—No le importa.

—¿Sabe Donald de esto?

—Sí.

—Es mi fideicomisario. ¿Qué tiene que decir?

—¿Donald? —Irwin se rio despectivamente— Nada.

A mi abuelo aún no le habían diagnosticado la enfermedad de Alzheimer, pero ya llevaba un tiempo luchando contra la demencia, así que no me tomé las amenazas demasiado en serio. Sin embargo, cambié mi firma.

Todos en mi familia experimentaron durante su vida una extraña combinación de privilegio y carencia. Aunque yo tenía todas las cosas materiales que necesitaba, y lujos como escuelas privadas y campamentos de verano, siempre flotaba la incertidumbre, añadida a propósito, de cuanto pudieran durar esos privilegios. Por la misma razón, había una sensación a veces desalentadora y a veces devastadora de que nada de lo que *hacíamos* realmente importaba o, peor aún, que no importaba, sólo importaba Donald.

Trump Management, a la que Donald se refería a menudo como una «operación de dos bits», seguía funcionando muy bien. Fred se pagó a sí mismo más de 109 millones de dólares entre 1988 y 1993 y tenía decenas de millones más en el banco. Sin embargo, la Trump Organization, la empresa que Donald aparentemente dirigía, estaba en problemas cada vez más graves.

Reducido a un salario mensual —con el que una familia de cuatro personas podría haber vivido cómodamente durante diez años, pero aun así un salario— y excluido por los bancos, que finalmente se negaron a prestarle más dinero, Donald creía plenamente que lo que le estaba sucediendo era el resultado de la economía, el mal trato que recibía de los bancos y la mala suerte.

Nunca nada era justo para él. Eso también tenía su correlato en Fred, que nunca se hizo cargo de los defectos de su hijo, y nunca se responsabilizó de nada más que de sus éxitos. El talento de Donald para desviar la responsabilidad mientras proyectaba la culpa a otros venía directamente del libro de jugadas de su padre. Incluso con los incontables millones de dólares que Fred gastó, no pudo evitar los fracasos de Donald, pero ciertamente pudo encontrar un chivo expiatorio, como siempre lo había hecho, cuando sus pasos en falsos y su mal juicio lo alcanzaron, como cuando culpó a Freddy por el fracaso de «Steeplechase». Donald sabía que asumir la responsabilidad de sus fracasos, lo que obviamente significaba reconocer el fracaso, no era algo que Fred admirara; había visto a dónde había llevado eso a Freddy.

Es muy posible que a finales de los 60 y principios de los 70, Fred no supiera lo profunda que era la ineptitud de Donald. Reconocer debilidades de cualquier tipo en el hijo sobre el que has apostado el futuro de tu imperio, y para quien había sacrificado a Freddy, habría sido casi imposible. Era mucho más fácil convencerse de que los talentos de Donald se desperdiciaban en el remanso de Brooklyn; simplemente necesitaba un estanque más grande en el que chapotear.

Mientras el Hotel Commodore se transformaba lentamente en el Grand Hyatt, Fred estaba tan cegado por el éxito con el que Donald manipulaba y degradaba cada parte del proceso para salirse con la suya, que parecía olvidar lo vitales que eran sus propias conexiones, conocimientos y habilidades; ni el Hyatt ni la Trump Tower habrían visto la luz del día sin ellos. Incluso la fría cabeza de Fred debe haberse visto sorprendida por toda la atención que Donald generó por dos proyectos que, si hubieran sido desarrollados por cualquier otro, habrían sido considerados acontecimientos bastante comunes en Manhattan.

Fred sabía desde el principio a qué juegos jugaba Donald, porque le había enseñado cómo jugarlos. Trabajar con los árbitros, mentir, hacer trampas, en lo que a Fred le concernía, eran todas tácticas de negocios legítimas. El juego más efectivo para ambos, padre e hijo, era el timo. Mientras Fred seguía haciendo proyectos y solidificando su estatus de «maestro constructor de posguerra», engordaba su cartera con el dinero de los contribuyentes a través de programas especiales, y supuestamente cometía tanto fraude fiscal que cuatro de sus hijos seguirían beneficiándose de él durante décadas. Mientras los patanes se centraban en los detalles salaces que Donald seguía generando para los tabloides, él estaba construyendo una reputación de éxito basada en malos préstamos, malas inversiones y peor juicio. La diferencia entre ambos, sin embargo, es que a pesar de su deshonestidad y falta de integridad, Fred tenía un negocio sólido y generador de ingresos, mientras que Donald sólo tenía su habilidad para dar vueltas y el dinero de su padre para sostener una ilusión.

Una vez que Donald se mudó a Atlantic City, ya no se podía negar que no sólo era inadecuado para el día a día de la gestión de unas pocas docenas de propiedades de alquiler de clase media en los barrios periféricos, sino que era inadecuado para dirigir cualquier tipo de negocio —incluso uno que coincidía con sus fortalezas de autopromoción y engrandecimiento y su gusto por la ostentación.

Cuando Fred se jactó de la brillantez de Donald y afirmó que el éxito de su hijo había superado con creces el suyo, debió saber que ni una palabra de ello era verdad; era demasiado listo y demasiado bueno en aritmética para pensar lo contrario: los números simplemente no cuadraban. Pero el hecho de que Fred continuara apuntalando a Donald, a pesar de que no era coherente seguir haciéndolo sugiere que algo más estaba pasando.

Porque Fred negó la realidad sobre el terreno en Atlantic City. Ya se había mostrado impermeable a los hechos que no encajaban en su narración, así que culpó a los bancos y a la economía y a la industria de los casinos tan ruidosamente como lo hizo su hijo. Fred se había involucrado tanto en la fantasía del éxito de Donald que él y Donald estaban inextricablemente unidos. Enfrentarse a la realidad habría requerido reconocer su propia responsabilidad, lo que nunca haría. Había hecho todo lo posible, y aunque cualquier persona racional se hubiera retirado, Fred estaba decidido a doblar la apuesta.

Todavía había mucha publicidad, y gracias a los bancos que padre e hijo difamaron, el extraordinario cambio financiero no hizo mella en el estilo de vida de Donald. Por último, hubo un lento balance de que su todavía no diagnosticado Alzheimer estaba empezando a afectar su funcionamiento ejecutivo. Ya susceptible de creer lo mejor de su peor hijo, con el tiempo se le hizo más fácil confundir la exageración sobre Donald con la realidad.

Como siempre, la lección que Donald aprendió fue la que apoyó su suposición preexistente: no importa lo que pase, no importa cuánto daño deje a su paso, él estará bien. Saber de antemano que serás rescatado financieramente si fracasas, hace que la narración que conduce a ese momento no tenga sentido. Afirma con desvergonzada grandiosidad que un fracaso es una tremenda victoria, y se convertirá en eso. Ese sistema permitió a Donald no tener nunca que cambiar, incluso si fuera capaz de cambiar, porque simplemente no lo necesitaba. También garantizaba una cascada de fallos cada vez más consecuentes que, en última instancia, nos convertirían a todos en daños colaterales.

A medida que las bancarrotas y las vergüenzas aumentaban, Donald se enfrentó por primera vez a los límites de su capacidad para salir de un problema, con la distracción o la amenaza. Siempre adepto a encontrar una escotilla de escape, parece haber ideado un plan para traicionar a su padre y robar grandes sumas de dinero de sus hermanos. Se acercó en secreto a dos de los empleados más antiguos de mi abuelo, Irwin Durben, su abogado, y Jack Mitnick, su contador, y los reclutó para redactar un codicilo al testamento de mi abuelo que pondría a Donald en completo control de los bienes de Fred, incluyendo el imperio y todas sus propiedades, después de su muerte. Si lo conseguía, Maryanne, Elizabeth y Robert estarían efectivamente a merced de Donald, dependiendo de su aprobación para la más pequeña transacción.

Como Gam le dijo más tarde a Maryanne, cuando Irwin y Jack fueron a la Casa para que Fred firmara el codicilo, presentaron el documento como si hubiese sido una idea original de Fred. Mi abuelo, que estaba teniendo uno de sus días más lúcidos, sintió que algo no estaba bien, aunque no podía decir exactamente qué. Se negó airadamente a firmar. Después de que Irwin y Jack se fueran, Fred transmitió sus preocupaciones a su esposa. Mi abuela llamó inmediatamente a su hija mayor para explicarle lo que había pasado lo mejor que pudo. En resumen, dijo, Fred había olido que algo no iba bien.

Maryanne, con sus antecedentes como fiscal, tenía un conocimiento limitado de los fideicomisos y las propiedades. Le pidió a su marido, John Barry, un conocido y respetado abogado de Nueva Jersey, que le recomendara a alguien que pudiera ayudar, y le pidió a uno de sus colegas que investigara la situación. No pasó mucho tiempo para que el plan de Donald se descubriera. Como resultado, todo el testamento de mi abuelo fue reescrito, reemplazando uno que él había escrito en 1984, y Maryanne, Donald y Robert fueron nombrados como ejecutores. Además, se estableció una nueva norma: lo que Fred le diera a Donald, tendría que dar una cantidad igual a cada uno de los otros tres hijos.

Maryanne diría años más tarde, «Nos habríamos quedado sin un céntimo. Elizabeth habría estado mendigando en una esquina. Habríamos tenido que suplicar a Donald si queríamos una taza de café». Fue «pura suerte» que hubieran detenido el plan. Sin embargo, los hermanos se reunían cada día de fiesta como si nada hubiera pasado.

El intento de Donald de arrebatarle el control de los bienes de Fred fue el resultado lógico de que Fred hiciera creer a su hijo que él era la única persona que importaba. A Donald se le había dado más de todo; se había *invertido* en él; se le había elevado en detrimento de Maryanne, Elizabeth y Robert (e incluso de su madre) y a expensas de Freddy. En la mente de Donald, el éxito y la reputación de toda la familia descansaba sobre sus hombros. Teniendo en cuenta eso, tiene sentido que al final sintiera que se merecía no sólo su parte sino la de todos.

Estaba parada en la ventana de mi estudio mirando el tráfico de hora punta que confluye en el 59 de Street Bridge cuando Donald me llamó desde su avión, lo cual no era algo usual.

—El decano de los estudiantes de Tufts me envió una carta que has escrito.

—¿En serio? ¿Por qué?

Me tomó un minuto darme cuenta de lo que estaba hablando. Uno de mis profesores se había postulado a una cátedra, y antes de graduarme, escribí una carta en su apoyo. Eso había sido hace cuatro años, y lo había olvidado por completo.

—La carta era para mostrarme tu genial opinión de Tufts, alguien pensó que con eso recaudarían fondos para la universidad.

—Lo siento. No debieron haber hecho eso.

—No, es una carta fantástica

No entendía el objetivo de la conversación hasta que Donald dijo, sin venir a cuento:

—¿Quieres escribir mi próximo libro? El editor quiere que empiece, y pensé que sería una gran oportunidad para ti. Será divertido.

—Eso suena genial —dije. Y así era. Escuché el motor del avión revolucionar en el fondo y recordé dónde estaba él.

—¿A dónde vas?

—Volviendo de Las Vegas. Llama a Rhona mañana. —Rhona Graff era la asistente ejecutiva en la Trump Organization.

—Lo haré. Gracias Donald.

No fue hasta más tarde, cuando releí la carta, que entendí por qué Donald pensó que sería una buena idea contratarme, no porque fuera «fantástica» sino porque demostraba que era muy buena para hacer que otras personas se vieran muy bien.

Unos días más tarde, me dieron mi propio escritorio en la oficina de la Trump Organization. Un espacio abierto y anodino con techos bajos, iluminación fluorescente y enormes archivadores de acero en las paredes, tenía mucho más en común con la oficina utilitaria de Trump Management en la Avenida Z, que con las paredes de oro y cristal forradas con portadas de revistas con la cara de Donald que saludaban a los invitados en el frente.

Pasé la primera semana en el trabajo familiarizándome con la gente que trabajaba allí y el sistema de archivo. (Para mi sorpresa, había una carpeta con mi nombre que contenía una sola hoja de papel, una carta escrita a mano que había enviado a Donald en mi primer año de secundaria. Le pedía que me consiguiera un par de entradas para un concierto de los Rolling Stones. No pudo.) Me mantuve al margen, pero cada vez que tenía una pregunta, Ernie East, uno de los vicepresidentes de Donald y un hombre muy amable, me ayudaba. Sugirió documentos que podrían ser útiles, y en ocasiones ponía en mi escritorio algunas carpetas de archivo que pensaba que podrían ayudar. El problema era que yo no sabía realmente de qué se suponía que trataba el libro más allá de su amplio tema, que deduje inteligentemente de su título de trabajo, *(The Art oh Comeback)*.

No había leído ninguno de los otros dos libros de Donald, pero sabía un poco sobre ellos. *El arte de la negociación*, por lo que yo entendía, había sido pensado para presentar a Donald como un serio promotor inmobiliario. El verdadero escritor del libro, Tony Schwartz, había hecho un buen trabajo —que luego lamentó— para hacer que sus ideas sonaran coherentes, como si Donald hubiera adoptado una completa filosofía de negocios que entendía y vivía.

Después de la vergüenza de la publicación poco oportuna de *Surviving at the Top*, asumí que Donald quería volver a la relativa seriedad de su predecesor. Me puse a tratar de explicar cómo, en las circunstancias más adversas, había salido de las profundidades, victorioso y con más éxito que nunca. No había muchas pruebas que apoyaran esa narración —estaba a punto de experimentar su cuarta declaración de bancarrota en el Hotel Plaza— pero yo tenía que intentarlo.

Todas las mañanas de camino a mi escritorio, pasaba a ver a Donald con la esperanza de que tuviera tiempo de sentarse conmigo para una entrevista. Pensé que sería la mejor manera de averiguar lo que había hecho y cómo lo había hecho. Su perspectiva era todo, y yo necesitaba las historias en sus propias palabras. Normalmente estaba en una llamada, que ponía en el altavoz tan pronto como me sentaba. Las llamadas, por lo que pude ver, casi nunca eran de negocios. La persona del otro lado, que no tenía ni idea de que estaba en el altavoz, buscaba chismes o la opinión de Donald sobre las mujeres o un nuevo club que se había abierto. A veces se le pedía un favor. A menudo la conversación era sobre el golf. Siempre que se decía algo escandalosamente adulador, salaz o estúpido, Donald sonreía y señalaba el altavoz como si dijera: «Qué idiota».

Cuando no estaba en una llamada, lo encontraba revisando los recortes de periódico que se recogían para él diariamente. Cada artículo era sobre él o al menos lo mencionaba. Luego me los mostraba, algo que hacía con la mayoría de los visitantes. Dependiendo del contenido del artículo, a veces escribía en él con un rotulador azul Flair, como el que usaba mi abuelo, y se lo enviaba al periodista. Cuando terminaba de escribir, sostenía el recorte y me pedía mi opinión sobre lo que consideraba sus ingeniosos comentarios. Eso no me ayudaba en mi investigación.

Unas semanas después de que Donald me contratara, todavía no me habían pagado. Cuando se lo mencioné, al principio fingió no entender de qué estaba hablando. Le señalé que necesitaba un adelanto para poder comprar al menos un ordenador y una impresora... Todavía escribía en la misma máquina de escribir eléctrica que había comprado con la ayuda de Gam en el posgrado. Dijo que pensaba que era problema del editor. «¿Puedes hablar con Random House?».

No me di cuenta en ese momento, pero el editor de Donald no tenía idea de que me había contratado.

Una noche, mientras estaba sentada en casa tratando de resolver cómo hacer algo vagamente interesante con los documentos aburridos que había estado estudiando, Donald llamó. «Cuando vengas a la oficina mañana, Rhona tendrá algunas páginas para ti. He estado trabajando en el material para el libro. Es muy bueno». Sonaba excitado.

Finalmente podría tener algo con lo que trabajar, alguna idea sobre cómo organizar esta cosa. Todavía no sabía qué pensaba de su «regreso», cómo dirigía sus negocios, o incluso qué papel jugaba en los acuerdos que estaba desarrollando actualmente.

Al día siguiente, Rhona me entregó un sobre de manila que contenía unas diez páginas mecanografiadas, tal como había prometido. Lo llevé a mi escritorio y comencé a leer. Cuando terminé, no estaba segura de qué pensar. Era claramente una transcripción de una grabación que Donald había hecho, que era un monólogo interior. Era un compendio de mujeres agraviadas con las que le hubiera gustado salir pero que, habiéndolo rechazado, eran de repente las peores, más feas, gordas, y más vagas que había conocido. Lo más interesante era que Madonna masticaba chicle de una forma que Donald no encontraba atractiva y que Katarina Witt, una patinadora olímpica alemana que había ganado dos medallas de oro y cuatro campeonatos mundiales, tenía las pantorrillas grandes.

Dejé de pedirle una entrevista.

De vez en cuando, Donald preguntaba por mi madre. Él no la había visto en cuatro años, desde que Ivana y Blaine le dieron un ultimátum a Gam justo antes de Acción de Gracias: o Linda iba a la Casa para las fiestas, o iban ellas. Encontraban a su no exactamente cuñada, demasiado tranquila y deprimida, y no les permitía pasar un buen rato si ella estaba allí. Mi madre había estado en la familia Trump desde 1961, y aunque nunca entendí por qué mi abuelo requería su presencia en las fiestas después de que mis padres se divorciaran, ella siempre iba. Más de 25 años después, mi abuela eligió a Ivana y Blaine, sin tener en cuenta cómo la decisión podría afectarnos a mí y a mi hermano.

Ahora Donald dijo: «Creo que cometimos un gran error al seguir apoyando a tu madre. Hubiera sido mejor si después de un par de años la hubiéramos dejado valerse por sí misma».

La idea de que cualquier otra persona tenía derecho a dinero o apoyo que no estaba ganando de forma obvia, era imposible de entender para Donald y mi abuelo. Nada de lo que mi madre había recibido como ex esposa del hijo mayor de una familia muy rica, que había criado a dos de los nietos de Fred y Mary Trump casi sin ayuda, había venido de mi abuelo, y *ciertamente* no había venido de Donald, sin embargo ambos actuaban como si así fuera.

Donald probablemente pensó que estaba siendo amable. Solía haber una chispa de eso en él. Una vez me dio 100 dólares para sacar mi coche del depósito. Y después de la muerte de mi padre, Donald fue el único miembro de mi familia, aparte de mi abuela, que me incluyó en algo. Pero su amabilidad se había convertido en algo tan distorsionada con el tiempo por la falta de uso y el desaliento de Fred, que lo que él consideraba amabilidad habría sido prácticamente irreconocible para el resto de nosotros. No lo sabía en ese momento, pero cuando tuvimos esa conversación, Donald todavía recibía su asignación de 450.000 dólares de los bancos cada mes.

Una mañana, mientras estaba sentada frente a Donald en su escritorio repasando los detalles de nuestro viaje a Mar-a-Lago (Donald pensó que me ayudaría con el libro si veía su mansión de Palm Beach de primera mano) el teléfono sonó. Era Philip Johnson.

Mientras charlaban, Donald pareció tener una idea. Puso el teléfono en el altavoz.

—¡Philip! —dijo—. Tienes que hablar con mi sobrina. Ella está escribiendo mi próximo libro. Puedes contarle todo sobre el Taj.

Me presenté y Philip me sugirió que fuera a su casa en Connecticut la semana siguiente para hablar sobre el libro.

Después de que Donald terminó la llamada, me dijo:

—Eso será fantástico. Philip es un gran tipo. Lo contraté para que diseñara la *porta-co-share* del Taj Mahal. Es tremendo, nunca había visto nada igual.

Cuando terminamos de discutir la logística de nuestro viaje a Florida, dejé la oficina y me dirigí a la biblioteca. No tenía ni idea de quién era Philip Johnson, y nunca había oído hablar de una «porta-co-share».

En la limusina de camino al aeropuerto al día siguiente, le dije a Donald que había quedado con Johnson en su casa, que había descubierto en la biblioteca que era la tan famosa Glass House que él, un arquitecto muy famoso, había diseñado. También descubrí que lo que Johnson había diseñado para el Taj, lo que Donald llamaba una *porta-co-share*, era un «*porte cochere*», básicamente un gran porche. Comprendí por qué Donald había querido que Johnson participara en el proyecto; no sólo era famoso, sino que también frecuentaba el tipo de círculos a los que Donald aspiraba. Sin embargo, no entendí por qué Johnson se molestó en diseñar el porche del Taj. Era un proyecto de muy pequeña escala que no parecía valer la pena.

Cuando Donald recogió un ejemplar del *New York Post* a menos de diez minutos del viaje, supe que no tenía intención de darme información para el libro. Empecé a sospechar que me había contratado sin consultar a su editor porque no quería ser controlado por la gente de allí. También sería mucho más fácil esquivar a su sobrina, que no estaba bajo contrato y apenas recibía un sueldo, que a un escritor profesional, que probablemente tendría un interés significativo en el éxito del libro. Pero estábamos a punto de estar atrapados juntos en un avión durante dos horas, así que esperaba que pudiera hablar conmigo entonces.

Cuando entramos en la cabina del avión que nos esperaba en el asfalto, Donald extendió sus brazos y preguntó:

—¿Qué te parece?

—Es genial, Donald. —Ya conocía como había que proceder.

Tan pronto como llegamos a la altitud de crucero y pudimos desabrochar nuestros cinturones de seguridad, uno de sus guardaespaldas le entregó una enorme pila de correo después de poner un vaso de Coca-Cola Light a su lado. Observé como abría un sobre tras otro, y luego, tras examinar el contenido durante unos segundos, lo tiraba al suelo junto con el sobre. Cuando se acumulaba una gran pila, la misma persona reaparecía, recogía el papel de desecho y lo tiraba a la basura. Eso sucedía una y otra vez. Me moví a otro asiento para no tener que mirar.

El personal estaba esperando mientras el coche se acercaba a la entrada de Mar-a-Lago. Donald se fue con su mayordomo y yo me presenté a todos los demás. La mansión de 58 habitaciones y 33 baños con accesorios chapados en oro y una sala de estar de 1.700 metros cuadrados con techos de 12 metros era tan chillona e incómoda como esperaba.

La cena de esa noche era sólo para mí, Donald y Marla. Ella y yo nos habíamos visto unas cuantas veces antes, pero nunca habíamos tenido la oportunidad de conocernos de tú a tú. La encontré amigable, y Donald parecía relajado con ella. Era sólo dos años mayor que yo y tan diferente de Ivana como un ser humano podría ser. Marla tenía los pies en la tierra y hablaba en voz baja, donde Ivana era todo arrogancia y rencor.

Al día siguiente, pasé la mañana explorando la propiedad. No había otros huéspedes, así que todo el lugar se sentía vacío y extrañamente tranquilo. Hablé con el mayordomo para ver si tenía alguna historia interesante, conocí a algunos de los otros chicos que trabajaban allí y luego me di un baño rápido antes de la comida, que estaba programada para la 1:00 p.m. Tan formal como era Mar-a-Lago en algunos aspectos, también era mucho más casual que nuestros lugares habituales de reunión familiar, así que me sentí cómoda usando un traje de baño y un par de pantalones cortos para la comida, que se servía en el patio.

Donald, que llevaba ropa de golf, me miró cuando me acerqué como si nunca me hubiera visto antes.

—Joder, Mary. ¡Qué curvas!

—¡Donald! —dijo Marla con fingido horror, pegándole ligeramente en el brazo.

Tenía veintinueve años y no me avergonzaba fácilmente, pero mi cara se sonrojó y de repente me sentí cohibida. Me puse la toalla sobre los hombros. Me percaté entonces de que nadie en mi familia, aparte de mis padres y mi hermano, me había visto en traje de baño. Desafortunadamente para el libro, eso fue lo único interesante que ocurrió durante toda mi visita a Palm Beach.

En Nueva York, Donald se cansó de que le pidiera una entrevista y me dio una lista de nombres. «Habla con esta gente». Incluidos los presidentes de sus casinos y el esposo de Maryanne, John. Aunque eso era potencialmente útil, él no parecía entender que escribir el libro sin su aporte sería casi imposible.

Me reuní con todos los presidentes de los casinos. No es sorprendente que muchas de sus respuestas fueran estereotipadas, y me di cuenta de que no me iban a decir nada sobre lo que pasaba en el negocio de su jefe en el punto más alto del caos y la disfunción. Los viajes no fueron una pérdida de tiempo total; nunca había estado allí antes, y al menos me hice una idea del lugar.

Mi encuentro con John Barry fue aún menos productivo que los viajes a Atlantic City.

—¿Qué puedes decirme? —le pregunté. Puso los ojos en blanco.

Finalmente Donald me dijo que su editor quería reunirse conmigo. Se organizó un almuerzo, y llegué al restaurante pensando que él y yo íbamos a discutir los próximos pasos. Era un lugar caro en el centro de la ciudad, y estábamos sentados en una pequeña y estrecha mesa cerca de la cocina.

Sin andarse con rodeos, el editor me dijo que Random House quería que Donald contratara a alguien con más experiencia.

—He estado trabajando en esto durante un tiempo, —dije— y creo que he hecho algunos progresos. El problema es que no consigo que Donald se siente conmigo para una entrevista.

—No puedes esperar tocar un concierto de Mozart la primera vez que te sientas al piano. —dijo el editor, como si yo acabara de aprender el abecedario el día anterior.

—Donald me dijo que le gusta lo que he hecho hasta ahora, —contesté.

El editor me miró como si acabara de corroborar su punto de vista.
—Donald no ha leído nada de eso —me dijo.

Pasé por la oficina al día siguiente para limpiar mi escritorio y hacer entrega de cualquier cosa que pudiera ser útil para mi eventual reemplazo. No estaba molesta. Ni siquiera me importaba que Donald me hubiera despedido por persona interpuesta. El proyecto se había estrellado contra un muro. Además, después de todo el tiempo que pasé en su oficina, aún no tenía idea de qué era lo que realmente hacía.

CAPÍTULO DIEZ

El anochecer no llega de inmediato

Estábamos sentados en la misma mesa en Mar-a-Lago donde había almorzado con Donald y Marla un par de años antes. La familia había empezado a ir allí por Pascuas. Mi abuelo se volvió hacia mi abuela, me señaló, sonrió y preguntó:

—¿Quién es esta simpática señora? —Se volvió hacia mí. ¿Eres una dama agradable?

—Gracias, abuelo —dije.

Gam parecía disgustada. Le dije que no se preocupara. Ya había visto gente, que mi abuelo había conocido durante décadas, borradas de su memoria: sus nietos más jóvenes, su chofer. Su nuevo apodo para mí se quedó, y me llamó «dama agradable» hasta el final de su enfermedad. Lo decía con suavidad y con aparente amabilidad; fue muy dulce conmigo una vez que se había olvidado quién era yo.

«Vamos, papá». Rob dio un paso, pero mi abuelo no se movió. Miró a la multitud en una gala en su honor y en el de mi abuela, y sus ojos se iluminaron con una mirada de puro pánico, como si de repente no tuviera idea de quiénes eran o qué estaban haciendo allí. Hasta entonces, sólo había visto en mi abuelo gestos despectivos, molestos, de enfado, divertido o satisfecho de sí mismo. La mirada de miedo era nueva y alarmante. La única otra vez que había visto a mi abuelo con un aspecto distinto al habitual fue una vez que Donald lo llevó a jugar al golf, una afición a la que Donald dedicaba mucho tiempo pero de la que Fred, que no tenía ninguna afición, nunca se quejó. Yo estaba en la Casa cuando volvieron del campo, y casi no lo reconocí. Ambos llevaban ropa de golf, mi abuelo con pantalones celestes, una chaqueta blanca y zapatos blancos a juego. Era la primera vez que veía a mi abuelo usando algo distinto a un traje. Nunca antes lo había visto tan incómodo y cohibido.

Pronto pasaría de extraviar habitualmente las cosas y olvidar una palabra o una conversación aquí y allá, a olvidar las caras familiares. Podrías medir tu valor a los ojos de mi abuelo por el tiempo que te recordaba. No sé si se acordaba de papá, porque nunca le oí mencionar a mi padre en los años posteriores a su muerte.

Maryanne se aseguró de que mi primo David, para entonces un psicólogo clínico, acompañara a mi abuelo a todas sus citas para chequeos y exámenes neurológicos en un esfuerzo concertado para cimentarlo en la memoria de mi abuelo, pero no pasó mucho tiempo antes de que mi abuelo se refiriera simplemente a David como «el doctor».

Estaba con Maryanne y mi abuelo en la piscina de Mar-a-Lago cuando me señaló y le dijo a su hija:

—¿No es una dama agradable? —Había pasado un año más o menos desde que me había puesto el sobrenombre.

—Sí, papá —dijo Maryanne y puso una sonrisa cansada.

La miró con atención y, casi como un pensamiento tardío, preguntó:

—¿Quién eres?

Sus ojos lloraban como si alguien la hubiera abofeteado.

—Papá —dijo suavemente, soy Maryanne.

—Maryanne. —Sonrió, pero el nombre ya no significaba nada para él.

Nunca olvidó a Donald.

Rob, que había dejado su puesto de presidente del Trump Castle (el casino del infame rescate de 3,15 millones de dólares en fichas) bajo sospechas, había sustituido a mi abuelo en Trump Management durante su hospitalización de 1991 y nunca dejó el cargo. Era un buen trabajo para Robert. Además de los millones de dólares al año que recibía simplemente por el hecho de ser uno de los hijos vivos de Fred, también le pagaban medio millón de dólares al año por hacer un trabajo que requería poca habilidad o esfuerzo. Era el puesto para el que Freddy, y luego Donald, se habían preparado y habían rechazado, cada uno a su manera.

Fred seguía yendo a la oficina todos los días y se sentaba detrás de su escritorio hasta que llegaba la hora de irse a casa, pero era Rob quien estaba realmente, si no nominalmente, a cargo de la bien engrasada y autosuficiente máquina a la que a menudo se refería como una «vaca lechera».

Mi abuelo estaba teniendo un mal día. La mayoría de nosotros estábamos reunidos en la biblioteca cuando bajó las escaleras, su bigote y cejas recién teñidos y su peluca torcida, pero impecablemente vestido con su traje de tres piezas.

El color del pelo y la peluca fueron innovaciones recientes. Mi abuelo siempre había sido vanidoso con su apariencia y se lamentaba de su calvicie galopante. Ahora su cabeza llena de pelo le daba un aspecto ligeramente desgreñado. Nadie hablaba mucho de la peluca, pero el tinte de pelo causaba una considerable consternación en la familia, especialmente cuando íbamos a un sitio público. Mi abuelo a menudo dejaba el tinte barato de la farmacia demasiado tiempo, lo que le daba a las cejas y el bigote un tono de magenta. Cuando se unió a nosotros en la biblioteca, obviamente orgulloso de lo que había hecho, Gam dijo:

—¡Por el amor de Dios, Fred!

—¡Jesucristo, papá! —Donald le gritó.

—Joder —maldijo Rob en voz baja.

Maryanne, tocando su brazo, dijo:

—Papá, no puedes hacer eso de nuevo.

Estaba de pie junto a su amado asiento cuando entré en la biblioteca.

—Hola —dijo

—Hola, abuelo ¿Cómo estás?

Me miró y buscó su billetera, siempre tan llena de billetes que me sorprendía constantemente que cupiera en su bolsillo. Llevaba en su billetera una foto de una mujer semidesnuda del tamaño de una billetera, y por un segundo me preocupó que pensara mostrármela, como lo hizo cuando tenía doce años.

«Mira esto», me había dicho entonces, deslizando la imagen fuera de su ranura. Una mujer fuertemente maquillada, que no podía tener más de dieciocho años y podría haber sido más joven, sonreía inocentemente, con sus manos levantando sus pechos desnudos. Donald no se perdía detalle por encima del hombro de mi abuelo. Yo no sabía qué decir y lo había mirado para saber cómo debía responder, pero él sólo miraba con lascivia la foto.

«¿Qué piensas de eso?» Mi abuelo se había reído. Nunca le oí reír. Creo que nunca lo hizo. Normalmente se divertía diciendo «¡Ja!» y luego se burlaba.

Ahora, en lugar de una foto, mi abuelo sacó un billete de cien dólares y preguntó:

—¿Puedo comprar tu pelo?

Eso era algo que me preguntaba cada vez que lo veía cuando estaba creciendo. Me reí.

—Lo siento, abuelo. Pere no puedo desprenderme de él.

Elizabeth entró en la habitación con una cajita en la mano. Sujetó a mi abuelo del codo y lo atrajo hacia ella. Él, mirando en blanco hacia el frente, libró su brazo y salió de la habitación.

Poco después, Donald entró con sus hijos y el hijastro de Rob. Con la excepción de Eric, todos eran adolescentes, los chicos altos y regordetes y vistiendo trajes. Donald se sentó en la silla junto a la TV, e Ivanka se acomodó en su regazo. Los chicos empezaron a luchar. Donald veía la acción desde su silla, besando a Ivanka o pellizcándole la mejilla. De vez en cuando sacaba el pie y pateaba al que estuviese en el suelo. Cuando eran más jóvenes, Donald solía luchar con ellos, una pelea que básicamente consistía en agarrarlos, tirarlos al suelo y arrodillarse sobre ellos hasta que gritaran «tío». Tan pronto como habían crecido lo suficiente como para luchar en serio, él había optado por dejar de hacerlo.

Cuando Liz y yo estábamos tan lejos del peligro como podíamos, me dio la caja y me dijo: «Esto es tuyo».

Nunca intercambiamos regalos fuera de Navidad, pero curiosa, tomé rápidamente la caja y la abrí. Encontré un viejo reloj Timex de acero inoxidable con una esfera pequeña y una correa verde oliva.

—Alguien te lo regaló por Navidad —dijo. Sólo tenías diez años, y pensé que eras demasiado joven para tener algo tan bonito. Así que me quedé con él. Después salió de la habitación para buscar a su padre.

Más tarde, Donald y Rob estaban en el comedor sentados uno junto al otro y hablando en voz baja. Mi abuelo estaba cerca, inclinado hacia adelante casi en la punta de los dedos de los pies, tratando de escuchar lo que decían.

Fred dijo:

—Donald, Donald. —Cuando no respondió, mi abuelo tiró de la manga de Donald.

—¿Qué, papá? —preguntó sin darse la vuelta.

—Mira esto —dijo Fred. Levantó una página que había sido arrancada de una revista, un anuncio de una limusina similar a la que ya tenía.

—¿Qué pasa con eso?

—¿Puedo tenerlo?

Donald tomó la página y se la entregó a Rob, quien la dobló por la mitad y la deslizó sobre la mesa.

—Claro, papá —dijo Rob. Donald salió de la habitación.

Lo que sea que los haya unido antes, ahora los hijos vivos de Fred habían dejado de fingir que les importaba lo que su padre pensaba o quería. Habiendo servido al propósito de su padre, Donald ahora lo trataba con desprecio, como si su declive mental fuera de alguna manera por su propia culpa. Fred había tratado a su hijo mayor y a su alcoholismo de la misma manera, así que la actitud de Donald no era sorprendente. Sin embargo, fue impactante ser testigo del abierto desprecio. Por lo que yo sabía en ese momento, Donald no sólo había sido el favorito de mi abuelo, sino que también parecía ser el único hijo suyo que le gustaba. Sabía que mi abuelo podía ser cruel, pero pensaba que la mayor parte de esa crueldad estaba reservada a mi padre, quien, para mi vergüenza, pensaba que probablemente se la había merecido. No sabía lo solitaria y aterradora que había sido la vida en la Casa en el momento de la enfermedad de mi abuela hace tantos años. No sabía que mi abuelo no había cuidado a ninguno de sus hijos durante el año de la ausencia de Gam, o que Donald había sido particularmente vulnerable a esa negligencia. Y lejos de apoyar y nutrir a mi padre mientras se aventuraba por el mundo con la sincera intención de ser un éxito, Fred sólo estaba esperando a que Donald fuera lo suficientemente mayor para serle útil.

En 1994, me mudé de mi apartamento del Upper East Side a Garden City, un pueblo de Long Island a sólo quince minutos en coche de la Casa. Solía llevar a Gam a ver a sus bisnietos, la hija y el hijo de mi hermano, y la llevaba en el Rolls-Royce rojo que mi abuelo había comprado para su cumpleaños unos años antes. Detrás del gran volante de nogal, me sentía tan alta que prácticamente podía ver la curvatura de la Tierra. A veces Gam y yo charlábamos distendidamente durante los cuarenta y cinco minutos de viaje, pero la mayor parte de las veces estaba malhumorada y taciturna. En días como ese, el viaje se hacía interminable. A veces ella olía fuertemente a vainilla, incluso cuando no había estado horneando. Otras veces, la veía con el rabillo del ojo como subrepticiamente metía la mano en su bolso y se metía algo en la boca.

Normalmente nos sentábamos en la biblioteca a charlar. Yo estaba a menudo allí cuando Maryanne hacía su llamada telefónica diaria para ver cómo estaba. Después de responder, Gam cubrió el receptor y me dijo: —Es Maryanne, —entonces, a su hija le preguntó— ¿Adivina quién está aquí?... Mary. Hizo una pausa, supongo que para darle a Maryanne la oportunidad de decir algo como «Dile que le mando saludos», pero nunca lo hizo.

A veces íbamos a comer a un restaurante local. Uno de los lugares favoritos de Gam para almorzar era el Sly Fox Inn, un pub discreto justo enfrente del aparcamiento de la tienda de comestibles donde la habían asaltado. Nunca hablamos mucho de papá, pero un día parecía particularmente nostálgica. Recordó los problemas en los que él y Billy Drake se metían, la facilidad con la que papá la hacía reír. Se quedó callada después de que el camarero viniera a llevarse nuestros platos. Cuando preguntó si queríamos la cuenta, Gam no respondió, así que asentí con la cabeza.

—Mary, él estaba tan enfermo.

—Lo sé, Gam —dije, asumiendo que se refería a su alcoholismo.

—No sabía qué hacer.

Pensé que iba a llorar.

—Gam, estás bien —dije.

—Esas últimas semanas —respiró profundamente —no podía salir de la cama.

—El día que vine a verlo... —empecé preguntar. El camarero trajo la cuenta —¿No fue al médico?, quiero decir, si estaba tan enfermo...

—Se sintió tan mal cuando se enteró de que habías venido a verlo.

Esperé a que dijera algo más, pero Gam abrió su bolso. Siempre pagaba el almuerzo. La llevé a casa en silencio.

En 1987, había pasado el tercer año de la universidad en el extranjero en Alemania, en un lugar por el que no tenía ninguna afinidad, pero pensé que podría complacer a mi abuelo, ya que era el país de nacimiento de sus padres. (No fue el caso.) Había planeado volver a casa para Navidad, y llamé a mis abuelos para preguntarles si podía quedarme con ellos.

Me planté ante el teléfono público del pasillo de mi dormitorio con un puñado de monedas de cinco marcos y llamé a la Casa.

—Hola, abuelo. Soy Mary —dije cuando respondió.

—Sí —respondió.

Le expliqué por qué estaba llamando.

—¿Por qué no puedes quedarte con tu madre? —había preguntado.

—Soy alérgica a los gatos, y me temo que podría tener un ataque de asma.

—Entonces dile que se deshaga de los gatos.

Era mucho mejor ser ahora la «dama agradable».

Supe entonces lo difícil que era para Gam vivir con mi abuelo. Cuyo extraño comportamiento había empezado con pequeñas cosas, como esconder su chequera. Cuando se enfrentó a él, la acusó de intentar llevarlo a la bancarrota. Cuando ella trató de razonar con él, él se enfureció, dejándola sintiéndose insegura. Se preocupaba constantemente por el dinero, aterrorizado de que su fortuna desapareciera. Mi abuelo nunca había sido pobre ni un día de su vida, pero la pobreza se convirtió en su única preocupación; le torturaba la perspectiva de serlo.

Los cambios de estados de ánimo de mi abuelo finalmente se convirtieron en la norma, y el problema para Gam se convirtió en la repetición.

Después de llegar a casa de la oficina por la noche, subía a cambiarse, y a menudo volvía abajo con una camisa de vestir y una corbata nueva, pero sin pantalones, sólo con sus calzoncillos, calcetines y zapatos de vestir. «¿Cómo están todos? Bien. Muy bien. Buenas noches, *Toots*», decía, y volvía a subir, sólo para bajar unos minutos después.

Una noche, mientras Gam y yo estábamos en la biblioteca, mi abuelo entró y preguntó: «Oye, *Toots*, ¿qué hay para cenar?»

Después de que ella respondiera, él se fue. Unos momentos después, volvió. «¿Qué hay para cenar?» Ella respondió de nuevo. Se fue y volvió diez, doce, quince veces. Con cada vez menos paciencia, ella le contestó que «carne asada y patatas» cada vez.

En un momento dado ella se encaró con él. «Por el amor de Dios, Fred, ¡Basta! Ya te lo he dicho.»

«Vale, vale, *Toots*», dijo con una risa nerviosa, con las manos levantadas contra ella mientras se balanceaba sobre los dedos de los pies. «Bueno, eso es todo», dijo, metiendo los pulgares bajo los tirantes, como si acabase de terminar una conversación. Los gestos eran los mismos de siempre, pero el brillo de sus ojos se había vuelto dulcemente benigno.

Salió de la habitación, sólo para entrar unos minutos después y preguntar: «¿Qué hay para cenar?»

Gam me llevó al porche, un desangelado cuadrado de cemento en un lateral de la casa, justo al lado de la biblioteca que décadas antes se había utilizado para las barbacoas familiares. Hacía tanto tiempo que no se utilizaba que a menudo me olvidaba que existía.

—Lo juro, Mary —me dijo, —me va a volver loca. Las sillas que habían sido dejadas ahí fuera y olvidadas durante mucho tiempo estaban tan llenas de ramitas y hojas muertas que nos quedamos de pie.

—Necesitas conseguir ayuda —dije. Deberías hablar con alguien.

—No puedo dejarlo —Estaba a punto de llorar.

—Me hubiera gustado volver a casa —me dijo una vez con nostalgia. No entendía por qué no podía volver a Escocia, pero se negó rotundamente a hacer nada que pudiera parecer egoísta.

Los fines de semana, si no estaban en Mar-a-Lago, mis abuelos iban en coche a una de las casas de campo de sus otros hijos: Robert en Millbrook, Nueva York; Elizabeth en Southampton; o Maryanne en Sparta,

Nueva Jersey. Planearían pasar la noche, y mi abuela esperaría un fin de semana tranquilo con otras personas. Tan pronto como llegaban a su destino, mi abuelo les preguntaba si podían volver a casa. No cedía hasta que Gam se rendía y volvían a subir al coche. La idea de un retiro de fin de semana (o de un día) había sido para beneficio de Gam, una oportunidad para que saliera de la Casa y tuviera compañía. Eventualmente las visitas se convirtieron en otra forma de tortura. Como muchas otras cosas en la familia que no tenían sentido, continuaron haciéndolo de todos modos.

Gam estaba hospitalizada otra vez. No recuerdo qué se había roto, pero después de la estancia en el hospital, tenía la opción de ir a un centro de rehabilitación o que le enviaran un fisioterapeuta a su casa. Optó por el centro de rehabilitación. —Cualquier cosa para evitar volver a la casa —me dijo.

Era mejor así. Después del atraco, tuvo que dormir en una cama de hospital en la biblioteca durante semanas. Mi abuelo, que se había recuperado muy bien de su cirugía de cadera, no había tenido mucho que decir en cuanto a conmiseración o comodidad. Solo decía

—Todo va genial. ¿Verdad, *Toots*?

En 1998, celebramos el Día del Padre en el apartamento de Donald en la Trump Tower por primera vez. Se había vuelto muy difícil para mi abuelo estar en público, así que nuestro tradicional viaje a Peter Luger en Brooklyn estaba fuera de discusión. Era una costumbre familiar ir allí dos veces al año, el Día del Padre y el cumpleaños de mi abuelo.

Peter Luger era un restaurante muy extraño y muy caro que cobraba extra por un mal servicio y sólo aceptaba dinero en efectivo, cheques o una tarjeta de crédito Peter Luger (que mi abuelo poseía). El menú era limitado, y tanto si se pedía como si no, llegaban enormes platos de tomates en rodajas y cebollas blancas, acompañados de pequeños platos de cerámica de patatas fritas y espinacas a la crema que normalmente no se tocaban. Rodajas de carne de vacuno se servían en bandejas, señaladas con pequeñas vacas de plástico que señalaban el estado de cocción de la misma. Había varios tonos que iban desde el rojo (todavía mugiendo) y el rosa (casi capaz de arrastrarse por la mesa) hasta, en realidad, no lo sé. Todas nuestras pequeñas vacas eran rojas y rosas. La mayoría de nosotros pedíamos Coca-Cola, que se servía en botellas de seis onzas; debido al legendario mal servicio, eso significaba que al final de la noche la mesa estaba llena de restos de un par de cadáveres de vacas, docenas de botellas de Coca-Cola y platos llenos de comida que nadie en mi familia había comido nunca.

La comida terminaba hasta que mi abuelo había sorbido la médula de los huesos, lo cual, dado su bigote, era un agradable espectáculo.

Desde que dejé de comer carne en la universidad, la cena en Peter Luger se había convertido en un desafío. Una vez cometí el error de pedir salmón. La porción que ocupaba la mitad de la mesa y sabía tan bien como es esperable de un salmón en un restaurante de carne de vacuno. Mi comida solía consistir en Coca-Cola, patatas y una ensalada de lechuga iceberg.

No echaría de menos a los camareros maleducados, pero esperaba que al menos hubiera algo que me apeteciera comer en casa de Donald.

Cometí el error de llegar al ático temprano y sola. Aunque Donald y Marla seguían casados, ella ya era un recuerdo lejano, reemplazada ahora por su nueva novia, Melania, una modelo eslovena de 28 años a quién no había tenido la ocasión de conocer. Se sentaron en un incómodo sofá de dos plazas en el vestíbulo, un gran espacio indefinido. Todo era de mármol, láminas de oro, paredes espejadas, paredes blancas y frescos. No estoy seguro de cómo lo logró, pero el apartamento de Donald se sentía aún más frío y menos como un hogar que la Casa.

Melania era cinco años más joven que yo. Se sentó ligeramente de lado junto a Donald con los tobillos cruzados. Me llamó la atención lo a gusto que se veía. Rob me dijo que cuando él y Blaine la conocieron Melania apenas había hablado durante toda la comida.

—Tal vez su inglés no es muy bueno —dije.

—No, —se burló. Ella sabe para qué está ahí. Claramente no era por su brillante conversación.

Tan pronto como me senté, Donald empezó a contarle a Melania *la época* en que me contrató para escribir *El arte del regreso* y luego se lanzó a su versión de mi historia de redención de «regreso de estar a punto de hacer algo «. Pensó que era algo que teníamos en común: ambos habíamos tocado fondo y luego de alguna manera nos abrimos camino de vuelta a la cima (en su caso) o sólo de vuelta (en el mío).

—Dejaste la universidad, ¿verdad?

—Sí, Donald, lo hice. —Era exactamente como quería que me presentaran a alguien que no conocía. También me sorprendió que él lo supiera.

—Estuvo muy mal durante un tiempo y luego empezó a tomar drogas.

—¡Jo! —dije, levantando las manos.

—¿De veras? —dijo Melania, repentinamente interesada.

—No, no, no. Nunca he tomado drogas en mi vida.

Donald me echó una mirada y sonrió. Estaba adornando la historia para que tuviera efecto, y sabía que yo lo sabía.

—Era un desastre total —dijo, sonriendo más ampliamente.

A Donald le encantaban las historias de recuperación, y entendía que cuanto más profundo fuera el agujero del que salías, mejor gestionarías tu triunfante regreso. Que era exactamente como él experimentaba su propio viaje. Al conectar mi abandono de la universidad con contratarme para escribir su libro (mientras agregaba una adicción a las drogas ficticia), inventó una historia mejor que de alguna manera lo hacía jugar el papel de mi salvador. Por supuesto, entre el momento en que dejé la universidad y el momento en que me contrató, regresé a la universidad, me gradué y obtuve una maestría, todo sin tomar ninguna droga. Sin embargo, no tenía sentido aclarar las cosas; nunca lo tuvo con él. Su versión de la historia tenía tanto valor como el de cualquier otro, y cuando sonó el timbre, probablemente ya se creía su versión de los hechos. Cuando los tres nos levantamos para saludar a los nuevos invitados, me di cuenta de que Melania sólo había dicho una palabra durante el tiempo que estuvimos juntos.

El 11 de junio de 1999, Fritz me llamó para decirme que nuestro abuelo había sido llevado al Centro Médico Judío de Long Island, otro hospital de Queens que mis abuelos habían patrocinado en los últimos años. Dijo que era probable que fuera el final.

Conduje los diez minutos desde mi casa y descubrí que la habitación ya estaba llena. Gam se sentó en la única silla cerca de la cama; Elizabeth se puso de pie junto a ella, cogiendo la mano de mi abuelo.

Después de saludar, me acerqué a la ventana, donde se encontraba la esposa de Robert, Blaine. Ella dijo:

—Se suponía que estaríamos ahora en Londres con el príncipe Carlos. —Me di cuenta de que me hablaba, algo que raramente hacía.

—Oh —dije.

—Nos invitó a uno de sus partidos de polo. No puedo creer que hayamos tenido que cancelar el viaje. —Sonaba exasperada y no hizo ningún esfuerzo por bajar la voz.

Podría haber superado esa historia. En una semana se suponía que me casaría en una playa de Maui. Nadie en la familia lo sabía; siempre habían estado espectacularmente desinteresados en mi vida personal (cuando era necesario, le pedía a un amigo que me acompañara a cualquier ocasión familiar que requiriera un acompañante) y nunca preguntaron sobre mis novios o relaciones.

Un par de años antes, Gam y yo habíamos estado hablando del funeral de la princesa Diana, y cuando ella había dicho con cierta vehemencia: «Es una vergüenza que dejen a ese pequeño marica de Elton John cantar en el servicio», me di cuenta de que era mejor que no supiera que yo vivía con una mujer y que estaba comprometida con ella.

Viendo lo grave que era el estado de mi abuelo, tuve la terrible sensación de que cuando llegara a casa, tendría que darle la noticia a mi prometida de que, tras meses de planificación y superar varias pesadillas logísticas, nuestra boda, en su mayor parte secreta, tendría que ser pospuesta.

Noté un silencio en la habitación, como si todos se hubieran quedado sin charla al mismo tiempo. Por el momento nos vimos reducidos a escuchar la respiración desigual de mi abuelo: una inhalación irregular e incierta, seguida de una pausa antinatural durante más tiempo del que parecía seguro hasta que finalmente exhaló.

CAPÍTULO ONCE

La única moneda

Fred Trump murió el 25 de junio de 1999. Al día siguiente, su obituario fue publicado en el *New York Times* bajo el título «Fred C. Trump, maestro constructor de viviendas para la clase media de la posguerra, muere a los 93 años». El escritor de necrológicas marcó un contraste entre el estatus de Fred como «un hombre hecho a sí mismo» y «su extravagante hijo Donald». La propensión de mi abuelo a recoger los clavos no usados en sus obras para devolvérselos a sus carpinteros al día siguiente se resaltó antes que los detalles de su nacimiento. El *Times* también repitió la familiar frase de que Donald había construido su propio negocio con una mínima ayuda de mi abuelo —«una pequeña cantidad de dinero»— una declaración que el mismo periódico refutaría veinte años después.

Nos sentamos en la biblioteca, cada uno con su propio ejemplar del *Times*. A Robert, sus hermanos se las hicieron pasar canutas por haberle dicho al *Times* que la herencia de mi abuelo estaba valorada en entre 250 y 300 millones de dólares. «Nunca, nunca les des números», lo sermoneó Maryanne, como si fuera un niño estúpido. Se quedó allí avergonzado, chasqueando los nudillos y haciendo equilibrios sobre las puntas de los pies, como mi abuelo solía hacer, como si de repente se imaginara la consiguiente factura tributaria. La valoración era absurdamente baja, con el tiempo aprendimos que el imperio probablemente valía cuatro veces eso, pero Maryanne y Donald nunca habrían admitido ni siquiera esa cantidad.

Más tarde nos encontramos en la planta de arriba de la capilla funeraria Frank E. Campbell, en la sala Madison, en el Upper East Side de Manhattan, el proveedor de servicios funerarios más exclusivo y caro de la ciudad, sonriendo y estrechando manos mientras una fila aparentemente interminable de visitantes desfilaba ante nosotros.

En total, más de ochocientas personas se movían por los salones. Algunos estaban allí para presentar sus respetos, incluyendo a promotores inmobiliarios rivales como Sam LeFrak, el gobernador de Nueva York George Pataki, el exsenador Al D'Amato, y la cómica y futura concursante de *Celebrity Apprentice* Joan Rivers. El resto, más que probablemente, estaba allí para mirar a Donald.

El día del funeral, la iglesia Marble Collegiate Church estaba completamente llena. Durante el servicio, de principio a fin, todo el mundo tuvo un papel que desempeñar. Todo estuvo extremadamente bien coreografiado. Elizabeth leyó el «poema favorito» de mi abuelo, y el resto de los hermanos pronunciaron panegíricos, al igual que mi hermano, que habló en nombre de mi padre, y mi primo David, que representó a los nietos. La mayoría de ellos contaron historias sobre mi abuelo, aunque mi hermano fue el único que estuvo cerca de humanizarlo. En su mayor parte, tanto de manera indirecta como de manera directa, el énfasis se puso en el éxito material de mi abuelo, su instinto «implacable» y su talento para ahorrar dinero. Donald fue el único que se desvió del guion. En un giro vergonzoso, su panegírico se convirtió en un himno a su propia grandeza. Fue tan embarazoso que Maryanne le dijo a su hijo que no permitiera a ninguno de sus hermanos hablar en su funeral.

Rudolph Giuliani, el alcalde de la ciudad de Nueva York en ese momento, también habló.

Cuando el servicio llegó a su fin, los seis nietos mayores (Tiffany era demasiado joven) acompañaron el féretro al coche fúnebre como portadores honorarios, lo que significaba, como ocurría a menudo en nuestra familia, que otros hacían el trabajo duro mientras nosotros nos llevábamos el mérito. Todas las calles desde la Quinta Avenida y la 45 hasta el túnel Queens-Midtown a más de dieciséis manzanas de distancia habían sido cerradas al tráfico y a los peatones, así que nuestra comitiva, con una escolta policial, salió con facilidad de la ciudad. Fue un viaje rápido al cementerio All Faiths en Middle Village, Queens, para el entierro.

Volvimos a la ciudad igual de rápido, pero con menos fanfarria, para comer en el apartamento de Donald. Después, acompañé a mi abuela de vuelta a la Casa. Las dos nos sentamos en la biblioteca y charlamos un rato. Ella parecía cansada pero aliviada. Había sido un día muy largo; unos pocos años muy largos, en realidad. Aparte de la criada que vivía en el piso de arriba, estábamos solo nosotras dos. Se suponía que yo debía estar en mi luna de miel. Me quedé con ella hasta que estuvo lista para irse a la cama.

Cuando dijo que estaba lista para acostarse, le pregunté si quería que me quedara o si había algo que pudiera hacer por ella antes de irme.

—No, cielo, estoy bien.

Me incliné para darle un beso en la mejilla. Olía a vainilla.

—Eres mi persona favorita —le dije. No era verdad, pero se lo dije porque la quería. También lo dije porque nadie más se había molestado en quedarse con ella después del entierro del que había sido su marido durante sesenta y tres años.

—Así me gusta —respondió—. Debería serlo.

Y luego la dejé sola en esa casa grande, tranquila y vacía.

Dos semanas después del funeral de mi abuelo, estaba en casa cuando apareció un camión de la empresa DHL y me entregó un sobre amarillo que contenía una copia del testamento de mi abuelo. Lo leí dos veces para asegurarme de que no había entendido nada mal. Le había prometido a mi hermano que le llamaría en cuanto supiera algo, pero no quise hacerlo. El tercer hijo de Fritz y Lisa, William, había nacido horas después del funeral de mi abuelo. Veinticuatro horas después de eso, había empezado a tener convulsiones. Llevaba desde entonces en la unidad de cuidados intensivos neonatales. Tenían dos niños pequeños en casa, y Fritz tenía que trabajar. No tenía ni idea de cómo se las arreglaban.

Odiaba ser la portadora de más malas noticias, pero él tenía que saberlo.

Lo llamé.

—Y bien, ¿cuánto nos ha tocado? Preguntó.

—Nada —le dije—. No tenemos nada.

Unos días después, recibí una llamada de Rob. Por lo que yo recuerdo, solo me había llamado una vez antes para decirme que mi abuela estaba en el hospital. Actuó como si todo fuera bien. Insinuó que, si yo firmaba el testamento, todo iría bien. Y necesitaba mi firma para que el testamento fuera validado. Aunque es cierto que mi abuelo nos desheredó a mí y a mi hermano —es decir, en lugar de dividir lo que hubiera sido el 20 por ciento de la herencia de mi padre entre mi hermano y yo, lo había dividido equitativamente entre sus otros cuatro hijos—, fuimos incluidos en un legado hecho por separado a todos los nietos, una cantidad que resultó ser menos de la décima parte de un uno por ciento de lo que mis tíos y tías habían heredado. En el contexto de la totalidad de la herencia era una cantidad muy pequeña de dinero, y a Robert debió enfurecerle que nos diera a Fritz y a mí el poder de paralizar la distribución de los bienes.

Pasaron los días, y no me atreví a firmar. En la magnitud y concisión de su crueldad, el testamento era un documento impresionante que se parecía mucho al acuerdo de divorcio de mis padres.

Durante un tiempo, Robert me llamó todos los días. Maryanne y Donald le habían asignado la tarea de ser la persona de contacto; Donald no quería que lo molestaran, y al esposo de Maryanne, John, le habían diagnosticado cáncer de esófago, y el pronóstico no era bueno.

—Cobra lo tuyo, Honeybunch —insistía Rob repetidamente, como si eso me haría olvidar lo que decía el testamento. Sin embargo, no importa cuántas veces lo dijera, mi hermano y yo habíamos acordado no firmar nada hasta que tuviéramos alguna idea de cuáles eran nuestras opciones.

Con el tiempo, Rob empezó a perder la paciencia. Fritz y yo estábamos retrasándolo todo; el testamento no podía validarse hasta que todos los beneficiarios hubieran firmado. Cuando le dije a Rob que Fritz y yo aún no estábamos dispuestos a dar ese paso, sugirió que nos reuniéramos para discutirlo.

En nuestra primera reunión, cuando le pedimos a Rob que explicara por qué mi abuelo había hecho lo que había hecho, Rob dijo:

—Escucha, a tu abuelo no le importabais una mierda. Y no solo vosotros, no le importaban una mierda ninguno de sus nietos.

—Estamos recibiendo peor trato porque nuestro padre está muerto —dije.

—No, en absoluto.

Cuando señalamos que nuestros primos se beneficiarían de lo que sus padres recibieran de mi abuelo, Rob dijo:

—Cualquiera de ellos podría ser repudiado en cualquier momento. Donny iba a alistarse en el ejército o alguna mierda así, y Donald e Ivana le dijeron que si lo hacía, lo repudiarían en ese mismo instante.

—Nuestro padre no tuvo ese lujo —dije.

Rob se echó hacia atrás en su silla. Vi cómo intentaba recalibrar.

—Es bastante simple —dijo—. En lo que respectaba a tu abuelo, la muerte era la muerte. Solo le importaban sus hijos vivos.

Quise señalar que mi abuelo tampoco se había preocupado por Rob, pero Fritz intervino.

—Rob —dijo—, simplemente, no es justo.

Perdí la cuenta de cuántas reuniones tuvimos los tres entre julio y octubre de 1999. Hubo un breve respiro en septiembre mientras estuve en Hawái para mi pospuesta boda y luna de miel.

Al principio de nuestras discusiones, Fritz, Robert y yo acordamos que dejaríamos a mi abuela fuera de aquello. Asumí que no tenía ni idea del trato que nos dispensaba el testamento de mi abuelo y no vi ninguna razón para molestarla. Teníamos la esperanza de poder resolverlo todo y que ella nunca tuviera que saber que había habido un problema. Hablé con ella todos los días mientras estuve fuera y, una vez de vuelta en Nueva York, reanudé mis visitas a su casa. Las negociaciones, si es que se pueden llamar así, también se reanudaron. Nuestras conversaciones eran muy parecidas. No importaba lo que Fritz y yo dijéramos, Rob volvía con sus clichés y respuestas predeterminadas. Nos estancamos en un punto muerto.

Le pregunté sobre Midland Associates, la empresa de gestión que mi abuelo había creado décadas antes para evitar el pago de ciertos impuestos y beneficiar a sus hijos. Midland era propietaria de un grupo de siete edificios (incluyendo Sunnyside Towers y Highlander) a los que mi familia se refería como «el mini imperio». Sabía muy poco sobre ello —ninguno de mis fideicomisarios había explicado nunca qué papel jugaba o cómo se generaba el dinero— pero recibía un cheque cada pocos meses. Queríamos saber cómo o si la muerte de mi abuelo afectaría a la compañía en el futuro.

No pedíamos una cantidad específica de dólares o un porcentaje de la herencia, solo alguna garantía de que los activos que ya teníamos estarían seguros en el futuro y si, dada la enorme riqueza de la familia, tendrían vía libre en lo que respecta a la herencia de mi abuelo. Como albaceas y, junto con Elizabeth, únicos beneficiarios, Maryanne, Donald y Robert tenían una amplia libertad en esa área, pero Rob seguía sin comprometerse a nada.

En nuestra última reunión, en el bar del Hotel Drake en la calle 56 con Park Avenue, estaba claro que Robert había empezado a entender que no íbamos a ceder terreno. Antes de eso, a pesar de las cosas desagradables que nos había dicho, había mantenido una actitud afable de «Mirad, chicos, solo soy el mensajero». Ese día nos recordó, una vez más, que mi abuelo odiaba a nuestra madre y había temido que su dinero cayera en manos de ella.

Eso era risible, porque durante más de veinticinco años mi madre había vivido según los términos que los Trump habían establecido, siguiendo sus indicaciones al pie de la letra. Había vivido en el mismo apartamento en Jamaica, Queens; su pensión alimenticia y de la manutención de los hijos rara vez habían sido incrementadas, pero ella nunca había pedido más.

Al final, Fred nos había repudiado porque podía. Las personas que habían sido asignadas para protegernos, al menos financieramente, eran nuestros fideicomisarios, Maryanne, Donald, Robert e Irwin Durben, pero por lo que parecía tenían poco interés en protegernos, especialmente a sus propias expensas.

Rob se inclinó hacia adelante, de repente se puso serio.

—Escuchad, si *no* firmáis este testamento, si pensáis demandarnos, llevaremos a Midland Associates a la bancarrota y pagaréis impuestos por un dinero que no tenéis durante el resto de vuestras vidas.

No había nada más que decir después de eso. O Fritz y yo cedíamos, o peleábamos. Ninguna de las dos opciones era buena.

Lo consultamos con Irwin, ya que sentíamos que era el único aliado que nos quedaba. Estaba indignado por lo mal que nuestro abuelo nos había tratado en el testamento. Cuando le dijimos cómo había respondido Robert al preguntarle sobre Midland Associates y nuestra participación en otras entidades de los Trump, nos dijo:

—Vuestra parte de los arrendamientos de terrenos de Shore Haven y Beach Haven por sí sola es inestimable. Si no van a hacer nada por vosotros, tendréis que demandarlos.

Yo no tenía ni idea de lo que era un contrato de arrendamiento de terreno, y mucho menos de que tenía una participación en dos de ellos, pero sabía lo que significaba «inestimable». Y confié en Irwin. Basándonos en su recomendación, Fritz y yo tomamos una decisión.

Después de todos esos meses, William seguía en el hospital, y Fritz y Lisa se sentían abrumados. Le dije que me ocuparía de ello y llamé a Rob esa tarde.

—¿Rob, hay algo que podáis hacer? —pregunté.

—Firmad el testamento y ya veremos.

—¿En serio?

—Vuestro padre está muerto —dijo.

—*Sé* que está muerto, Rob. Pero *nosotros* no lo estamos. —Estaba muy harta de tener esa conversación.

Él hizo una pausa.

—Maryanne, Donald y yo simplemente cumplimos los deseos de nuestro padre. Tu abuelo no quería que tú o Fritz, o especialmente tu madre, consiguierais nada.

Respiré hondo.

—Esto no va a ninguna parte —dije—. Fritz y yo vamos a contratar a un abogado.

Como si hubiera pulsado un interruptor, Robert gritó:

—¡Haz lo que sea necesario! —Y colgó de golpe el teléfono.

Al día siguiente, había un mensaje de mi abuela en el contestador cuando llegué a casa.

—Mary, soy tu abuela —dijo escuetamente. Nunca se refería a sí misma de esa manera. Siempre era «Gam».

La llamé de inmediato.

—Tu tío Robert me ha dicho que tú y tu hermano vais a interponer una demanda por el veinte por ciento de los bienes de tu abuelo.

Me sentí sorprendida y no contesté de inmediato. Resultaba obvio que Rob había roto nuestro acuerdo y le había contado a mi abuela su versión de lo que habíamos estado discutiendo. Pero la otra cosa que me dejó sin habla fue que mi abuela había hablado como si el hecho de que obtuviéramos lo que hubiera sido la parte de mi padre en la herencia fuera algo incorrecto e indecoroso. Me sentía confundida, sobre la lealtad, sobre el amor, sobre los límites de ambos. Creía que formaba parte de la familia. Lo había entendido todo mal.

—Abuela, no hemos pedido nada. No sé qué te ha dicho Rob, pero no vamos a demandar a nadie.

—Más os vale.

—Solo estamos intentando resolver esto, eso es todo.

—¿Sabes lo que valía tu padre cuando murió? —dijo—. Un montón de nada.

Hubo una pausa y luego un clic. Me había colgado.

CAPÍTULO DOCE

La debacle

Me senté allí con el teléfono en la mano, sin saber qué hacer a continuación. Fue uno de esos momentos que lo cambian todo —tanto lo que había venido antes como lo que vendría después— y era demasiado para procesarlo.

Llamé a mi hermano, y en cuanto oí su voz, me eché a llorar.

Él llamó a nuestra abuela para ver si podía explicar lo que de verdad pedíamos, pero básicamente tuvieron la misma conversación. Aunque la despedida de ella fue ligeramente diferente:

—Cuando tu padre murió, no tenía un solo centavo.

Para mi familia, eso era lo único que importaba. Si la aceptación viene del dinero, si es la única lente a través de la cual determinas el valor, alguien que ha logrado en ese contexto tan poco, como mi padre, no valía nada, aunque fuera tu hijo. Además, si mi padre moría sin dinero, sus hijos no tenían derecho a nada.

Mi abuelo tenía todo el derecho a cambiar su testamento como le pareciera. Mis tías y tíos tenían todo el derecho a seguir sus instrucciones al pie de la letra, a pesar de que ninguno de ellos merecía su parte de la fortuna de Fred más que mi padre. Si no fuera por una casualidad en su nacimiento, ninguno de ellos habría sido multimillonario. Los fiscales y jueces federales no suelen tener casas de 20 millones de dólares en Palm Beach. Los asistentes ejecutivos no tienen casas de fin de semana en Southampton. (Aunque, para ser justos, Maryanne y Elizabeth eran las únicas, aparte de mi padre, que trabajaban fuera del negocio familiar). Aun así, actuaban como si se hubieran ganado cada centavo de la riqueza de mi abuelo y ese dinero estaba tan entrelazado en su sentido de la autoestima que dejar escapar cualquier parte de él no era una opción.

Por consejo de Irwin, fuimos a ver a Jack Barnosky, socio de Farrell Fritz, el mayor bufete de abogados del condado de Nassau. Jack, un hombre pomposo y satisfecho de sí mismo, nos aceptó como clientes. Su estrategia era demostrar que el testamento de mi abuelo de 1990 debía ser revocado: Fred Trump no estaba en su sano juicio cuando se firmó el testamento, y había estado bajo la influencia indebida de sus hijos.

Menos de una semana después de que se lo notificáramos a los ejecutores, Jack recibió una carta de Lou Laurino, un abogado bajo y enérgico como un pitbull que se encargaba de la herencia de mi abuelo. El seguro médico que nos había proporcionado Trump Management desde nuestro nacimiento había sido cancelado. Todos los miembros de la familia Trump estaban cubiertos por él. Mi hermano dependía de ese seguro para pagar los enormes gastos médicos de mi sobrino. Al enfermar William, Robert había prometido a Fritz que ellos se encargarían de todo, que enviara las facturas a la oficina.

Quitarnos el seguro no les benefició en absoluto, fue simplemente una forma de causarnos más dolor y aumentar nuestra desesperación. William ya había salido del hospital, pero seguía siendo susceptible de sufrir convulsiones, que en más de una ocasión lo habían puesto en un estado de paro cardíaco tan grave que no habría sobrevivido sin la RCP. Aun así requería cuidados especiales las 24 horas del día.

Todos nuestros familiares lo sabían, pero ninguno de ellos se opuso, ni siquiera mi abuela, que era tan consciente como cualquiera de que su propio bisnieto, desesperadamente enfermo, probablemente necesitaría una atención médica muy cara durante el resto de su vida.

Fritz y yo no tuvimos más remedio que interponer otra demanda para que le restituyeran el seguro médico a William. La demanda requirió declaraciones juradas de los médicos y enfermeras responsables del cuidado de William. Fue un proceso largo y estresante que culminó con una comparecencia ante el juez.

Laurino defendió la cancelación del seguro alegando primero que no teníamos derecho a esperar el seguro a perpetuidad. Era, más bien, un regalo que se nos había concedido por la bondad del corazón de mi abuelo. También minimizó la condición de William, insistiendo en que las enfermeras que lo atendían las 24 horas del día y que le salvaron la vida más de una vez eran niñeras muy caras. Si a Fritz y Lisa les preocupaba que su hijo pudiera tener otro ataque, dijo, deberían aprender RCP.

Las declaraciones no nos ayudaron en nada. No podía creerme lo terrible que era Jack como interlocutor. No seguía el hilo y se salía por la tangente. A pesar de que Fritz y yo habíamos preparado largas listas de preguntas para él, rara vez, si es que alguna vez, se refirió a ellas. Robert, mucho más distante que la última vez que hablé con él, reiteró el odio de mi abuelo hacia mi madre como su justificación central para desheredarnos. Maryanne se refirió airadamente a mí y a mi hermano como «nietos ausentes». Pensé en todas las veces que ella había llamado a la Casa cuando yo visitaba a mi abuela; ahora entendía por qué nunca le había dicho a mi abuela que la saludara. Mi abuelo, dijo, estaba furioso con nosotros porque nunca habíamos pasado tiempo con nuestra abuela, ignorando completamente toda la última década. Por lo visto, mi abuelo también había odiado que Fritz nunca llevara corbata y yo, de adolescente, me había vestido con suéteres holgados y vaqueros. Cuando fue llamado a declarar, Donald no sabía o no podía recordar nada, una especie de olvido estratégico que ha empleado muchas veces para evadir la culpa o el escrutinio. Los tres afirmaron en sus declaraciones juradas que mi abuelo había estado «increíblemente agudo» hasta justo antes de morir.

Durante ese tiempo, mi tía Elizabeth se encontró con un amigo de la familia, que más tarde le contó la conversación a mi hermano.

—¿Te puedes creer lo que Fritz y Mary están haciendo? —le preguntó—. Lo único que les importa es el dinero.

Por supuesto que los testamentos van sobre el dinero, pero en una familia que solo tiene una moneda, los testamentos también van sobre el amor. Creía que Liz podría haberlo entendido. Ella no tenía poder. Su opinión sobre la situación no le habría importado a nadie más que a mí y a mi hermano, pero aun así me dolía que ella estuviera siguiendo la corriente. Incluso un aliado silencioso y sin poder habría sido mejor que ninguno.

Después de casi dos años, con las facturas legales acumuladas y sin haber avanzado en ningún tipo de acuerdo, tuvimos que decidir si llevar a nuestra familia a los tribunales. La condición de William seguía siendo grave, y un juicio habría requerido el tipo de energía y concentración que mi hermano no tenía. A regañadientes, decidimos llegar a un acuerdo.

Maryanne, Donald y Robert se negaron a llegar a un acuerdo a menos que accediéramos a dejarles comprar nuestras acciones de los activos que habíamos heredado de nuestro padre, su 20 por ciento del mini imperio y los «inestimables» arrendamientos de terrenos.

Mis tíos y tías presentaron una valoración de la propiedad a Jack Barnosky, y, basándose en esas cifras, él y Lou Laurino acordaron una cantidad que probablemente se basó en números cuestionables. Jack nos dijo que, a falta de un juicio, era lo mejor que podíamos esperar.

—Sabemos que están mintiendo —dijo—, pero esto es un «Él ha dicho, ella ha dicho». Además, la herencia de tu abuelo solo vale unos treinta millones de dólares.

Eso era únicamente una décima parte de la estimación que Robert había dado al *New York Times* en 1999, que a su vez resultaría ser solo el 25 por ciento del valor real de la fortuna.

Fred sin duda creía que a mi padre se le habían dado las mismas herramientas, las mismas ventajas y las mismas oportunidades que a Donald. Si Freddy las había malgastado todas, no era culpa de su padre. Si, a pesar de ellas, mi padre había continuado siendo un terrible proveedor, mi hermano y yo deberíamos considerarnos afortunados de que hubiera fondos fiduciarios que nuestro padre no pudiera despilfarrar cuando estaba vivo. Lo que fuera que nos pasara a nosotros después de eso no tenía nada que ver con Fred Trump. Él había cumplido con su parte, no teníamos derecho a esperar más.

Mientras las demandas seguían su curso, recibí la noticia de que, tras una breve enfermedad, mi abuela había muerto el 7 de agosto de 2000 en el Long Island Jewish Medical Center, igual que mi abuelo. Tenía ochenta y ocho años.

Si hubiera sabido que estaba enferma, creo que habría intentado verla, pero el hecho de que ella no pidiera verme aclaró lo fácil que había sido para nosotras dejar ir a la otra. No habíamos hablado después de esa última conversación telefónica, así como no había vuelto a hablar con Robert, Donald, Maryanne o Elizabeth. Nunca se me ocurrió intentarlo.

Fritz y yo decidimos asistir al funeral, pero, sabiendo que no éramos bienvenidos, nos quedamos en una de las salas adyacentes en la parte trasera de la Marble Collegiate Church. Junto con un par de guardias de seguridad de Donald, vimos el servicio en un monitor de circuito cerrado.

Los panegíricos fueron notables solo por lo que no se dijo. Se especuló mucho sobre la reunión de mis abuelos en el Cielo, pero mi padre, su hijo mayor, que llevaba casi veintisiete años muerto, no fue mencionado en absoluto. Ni siquiera apareció en el obituario de mi abuela.

Recibí una copia de su testamento unas semanas después de su muerte. Era una copia del de mi abuelo, con una excepción: mi hermano y yo habíamos sido retirados de la sección que describía la herencia para los nietos. Mi padre y toda su línea sucesoria habíamos sido eficazmente borrados.

CUARTA PARTE

La peor inversión jamás realizada

CAPÍTULO TRECE

La política es personal

Pasaría casi una década antes de volver a ver a mi familia, en octubre de 2009, con motivo de la boda de mi prima Ivanka con Jared Kushner. No tenía ni idea de por qué había recibido la invitación, que estaba impresa en el mismo tipo de tarjetón que solía utilizar la Trump Organization.

Mientras la limusina que me llevaba desde mi casa en Long Island se acercaba a la sede del club de golf de Donald en Bedminster, Nueva Jersey, que se parecía extrañamente a la Casa, no estaba segura de qué esperar. Las recepcionistas repartieron chales negros a las invitadas, lo que me hizo sentir un poco menos expuesta mientras me envolvía uno alrededor de los hombros.

La ceremonia al aire libre tuvo lugar bajo una gran carpa blanca. Las sillas doradas estaban alineadas en filas a ambos lados de una alfombra dorada. La tradicional jupá judía, cubierta de rosas blancas, era del tamaño de mi casa. Donald, de pie, lucía torpemente su *yarmulke*. Antes de los votos, el padre de Jared, Charles, que había salido de la cárcel tres años antes, se levantó para decirnos que cuando Jared le presentó a Ivanka, pensó que ella nunca sería lo suficientemente buena para unirse a su familia. Solo después de que ella se comprometiera a convertirse al judaísmo y trabajara duro para conseguirlo, él empezó a pensar que podría ser digna de ellos. Teniendo en cuenta que Charles había sido condenado por contratar a una prostituta para seducir a su cuñado, grabando su encuentro ilícito, y luego enviar la grabación a su hermana durante la fiesta de compromiso de su sobrino, encontré su condescendencia un poco fuera de lugar. Después de la ceremonia, mi hermano, mi cuñada y yo entramos en el club.

Mientras caminaba por el pasillo, vi a mi tío Rob. Mi último intercambio con él fue cuando me colgó en 1999 después de decirle que Fritz y yo íbamos a contratar a un abogado para impugnar el testamento de mi abuelo. Cuando me acerqué a él, me sorprendió con una sonrisa. Extendió su mano, luego se inclinó —era mucho más alto que yo, incluso con los tacones— me dio la mano y me besó en la mejilla, el típico saludo de los Trump.

—¡Honeybunch! ¿Cómo estás? —dijo alegremente, y antes de que pudiera responder, agregó— Sabes, he estado pensando que ya ha transcurrido el tiempo de prescripción del distanciamiento familiar. Luego, rebotando en sus pies, golpeó con el puño cerrado la palma de su mano abierta en una imitación no muy exacta de lo que solía hacer mi abuelo.

—Eso me parece bien —le contesté. Pasamos un par de minutos intercambiando cumplidos. Cuando terminamos, subí las escaleras hasta la recepción, donde vi a Donald hablando con alguien que reconocí, un alcalde o un gobernador, aunque no recuerdo quién era.

—Hola, Donald —dije, mientras caminaba hacia ellos.

—¡Mary! Estás fantástica. —Me dio la mano y me besó la mejilla, como lo había hecho Rob—. Me alegro de verte.

—También me alegro de verte. —Fue un alivio descubrir que las cosas entre nosotros eran civilizadas y corteses. Una vez dicho eso, dejé paso a la siguiente persona en la fila de quienes estaban esperando para felicitar al padre de la novia. Pero el programa de *El Aprendiz* acababa de concluir su octava temporada, así que es probable que muchos de ellos estuvieran allí simplemente para la sesión de fotos.

—¡Diviértete! —me dijo mientras me alejaba.

El banquete se celebraba en un enorme salón de baile a una distancia considerable del aperitivo. En el camino vi a mi tía Liz a la distancia, persiguiendo a su marido. Llamé su atención y la saludé. Me saludó y dijo: «Hola, cariño», pero no se detuvo, y esa fue la última vez que la vi. Pasé por delante de voluminosos banderines y una pista de baile muy pulida, y finalmente encontré mi lugar en la mesa de los primos segundos, en la periferia del salón de baile. A lo lejos podía oír el ocasional *golpeteo* de los rotores cuando los helicópteros aterrizaban y despegaban.

Después de que se sirviera el primer plato, decidí buscar a Maryanne. Mientras me abría paso entre las mesas, Donald subió al escenario para hacer su brindis. Si no hubiera sabido de quién hablaba, habría pensado que brindaba por la hija de su secretaria.

Vi a Maryanne y me detuve. Fritz y yo no habríamos sido invitados a la boda de Ivanka sin la aprobación de Maryanne. Ella no me vio hasta que estuve parada justo frente a ella.

—Hola, tía Maryanne.

Le llevó unos segundos darse cuenta de quién era yo. —Mary —No sonrió— ¿Cómo estás? —preguntó, con una expresión rígida.

—Todo bien. Mi hija acaba de cumplir ocho años, y...

—No sabía que tenías una hija.

Por supuesto, ella no sabía que yo tenía una hija o que la estaba criando con la mujer con la que me casé después del funeral de mi abuelo, y luego me divorcié, o que recientemente había recibido mi doctorado en psicología clínica. Pero actuó como si su falta de conocimiento fuera un insulto para ella. El resto de nuestra breve conversación fue igualmente tensa. Mencionó que Ivana se había perdido la despedida de soltera de Ivanka pero dijo, *sotto voce*, que no podía decir por qué.

Me retiré a mi mesa, y cuando me di cuenta de que la comida vegetariana que había pedido no había llegado, pedí un martini en su lugar. Las aceitunas serían suficientes.

Poco después, vi a Maryanne, con aspecto decidido, dirigirse hacia nosotros como si estuviera en una misión. Se acercó a mi hermano y le dijo:

—Tenemos que hablar del «elefante en la sala» —Luego, haciendo un gesto para incluirme— Nosotros tres.

Unas semanas después de la boda de Ivanka y Jared, Fritz y yo nos reunimos con Maryanne y Robert en su apartamento del Upper East Side. No tenía claro por qué Rob estaba allí, pero pensé que tal vez planeaba cumplir con su afirmación de que el término de la «ley de prescripción» de la separación familiar ya había pasado. Lo tomé como una buena señal, pero a medida que pasaba la tarde, me sentí menos segura. No discutimos nada que pareciera pertinente. Mientras estábamos sentados en la sala de estar con su espectacular vista de Central Park y el Museo Metropolitano de Arte, Maryanne hizo referencias pasajeras a «la debacle», como ella llamaba a la demanda judicial, pero nadie más parecía ansioso por seguirle la corriente.

Rob se inclinó hacia adelante en su silla, y yo esperaba que finalmente fuéramos a tratar el tema que consideraban el «elefante en la sala». En lugar de eso, contó una historia.

Diez años antes, Rob todavía trabajaba para Donald en Atlantic City cuando la situación financiera de Donald era grave. Sus inversores lo estaban acosando, los bancos lo perseguían y su vida personal era un caos. Cuando las cosas estaban en su peor momento, Donald había llamado a Rob con una petición.

—Escucha, Rob, no sé cómo va a terminar todo esto —había dicho—. Pero la situación es difícil, y podría morirme de un ataque al corazón en cualquier momento. Si me pasa algo, quiero que te asegures de que Marla esté bien.

—Claro, Donald. Solo dime qué quieres que haga.

—Consíguele diez millones de dólares.

Yo pensé: «¡Mierda, *eso es mucho dinero!*» en el mismo momento en que Rob dijo: «Qué cretino».

Rob se rio del recuerdo mientras yo estaba sentada allí aturdida, preguntándome cuánto dinero tenía esa gente. Lo último que había sabido es que 10 millones de dólares serían un tercio del patrimonio que dejó por mi abuelo.

—Por la misma época, Donald me llamó para decirme que yo era una de sus tres personas favoritas —dijo Maryanne— Parece que olvidó que tenía tres hijos. (Tiffany y Barron aún estaban por llegar).

Nunca nos volvimos a encontrar con Rob, pero Fritz y yo, por separado y juntos, almorzábamos ocasionalmente con Maryanne. Por primera vez en mi vida, tuve la oportunidad de conocer a mi tía tal como era. Desde que pasé tiempo con Donald cuando escribía su libro no me había vuelto a sentir, en cierta manera, como si fuera parte de la familia.

Un par de meses después del cumpleaños de mis tías en abril de 2017, estaba en mi sala de estar atándome las zapatillas cuando sonó el timbre de la puerta. No sé por qué contesté. Casi nunca lo hago. El 75% de las veces era un testigo de Jehová o un misionero mormón. El resto del tiempo, era alguien que quería que firmara una petición.

Cuando abrí la puerta, lo único que comprobé fue que la mujer que estaba allí, con su pelo rubio rizado y sus gafas de montura oscura, era alguien a quien no conocía. Sus pantalones caquis, su camisa abotonada y su bolsa aludían a que provenía de Rockville Centre.

—Hola. Me llamo Susanne Craig. Soy reportera del *New York Times*.

Los periodistas habían dejado de contactarme hacía ya tiempo. Con la excepción de David Corn de *Mother Jones* y alguien de *Frontline*, la única persona que dejó un mensaje antes de las elecciones era de *Inside Edition*. Nada de lo que yo dijera sobre mi tío habría importado antes de noviembre de 2016; ¿por qué alguien querría saber de mí ahora?

La inutilidad de esto me molestó, así que dije:

—No es apropiado que aparezca sin avisar en mi casa.

—Entiendo. Lo siento. Pero estamos trabajando en una historia muy importante sobre las finanzas de su familia, y creemos que podría ayudarnos.

—No puedo hablar contigo.

—Al menos tome mi tarjeta. Si cambia de opinión, puede llamarme cuando quiera.

—No hablo con periodistas —dije. Pero tomé su tarjeta de todos modos.

Unas semanas después, me fracturé el quinto metatarso del pie izquierdo. Durante los siguientes cuatro meses, estuve prisionera en mi casa, sentada en el sofá y con el pie en alto todo el tiempo.

Recibí una carta de Susanne Craig reiterando su creencia de que yo tenía documentos que podrían ayudar a, según dijo, «reescribir la historia del Presidente de los Estados Unidos». Ignoré la carta. Pero ella insistió.

Después de un mes sentada en el sofá, navegando por Twitter y escuchando de fondo las noticias constantemente, vi en tiempo real cómo Donald destrozaba normas, ponía en peligro alianzas y aplastaba a los vulnerables. Lo único que me sorprendió fue el creciente número de personas dispuestas a dejar que lo hiciera.

Mientras veía a nuestra democracia desintegrarse y la vida de la gente desbaratarse por las políticas de mi tío, no dejaba de pensar en la carta de Susanne Craig. Encontré su tarjeta de visita y la llamé. Le dije que quería ayudar pero que ya no tenía ningún documento relacionado con nuestra demanda años atrás.

—Jack Barnosky podría tenerlos todavía —dijo. Diez días más tarde estaba de camino a su oficina.

La sede de Farrell Fritz estaba situada en uno de los dos edificios rectangulares revestidos de vidrio azul. Un aire tremendamente frío corría entre ellos a través del amplio espacio abierto del enorme aparcamiento. Es imposible aparcar en cualquier lugar cerca de la entrada, así que después de encontrar un sitio, me llevó diez minutos llegar al vestíbulo con mis muletas. Atravesé la escalera mecánica y los suelos de mármol con mucho cuidado.

Cuando llegué a mi destino, estaba cansada y sudando. Treinta cajas llenas de papeles se alineaban formando dos paredes y llenaban una estantería. El único mobiliario de la habitación era un escritorio y una silla. La secretaria de Jack había tenido la amabilidad de dejar un bloc de papel, un bolígrafo y algunos clips. Dejé mis bolsas, apoyé las muletas contra una de las paredes, y me dejé caer sobre la silla. Ninguna de las cajas estaba etiquetada; no tenía ni idea de por dónde empezar.

Me llevó una hora familiarizarme con el contenido de las cajas y realizar una lista, lo que requirió dar vueltas por la habitación en mi silla y levantar las cajas hasta el escritorio mientras estaba de pie sobre una pierna. Cuando Jack pasó por allí, yo estaba roja y empapada de sudor. Me recordó que no podía sacar ningún documento de la habitación. «También son de tu hermano y necesito su permiso», lo que no era para nada cierto.

Cuando se giró para irse, le llamé:

—Jack, espera un segundo. ¿Puedes recordarme por qué decidimos retirar la demanda?

—Bueno, estabas preocupada por los costes, y, como sabes, no llevamos casos sujetos a resultado. Aunque sabíamos que nos estaban mintiendo, era 'Él dijo, ella dijo'. Además, la herencia de tu abuelo solo valía treinta millones de dólares. Era casi, palabra por palabra lo que me había dicho cuando lo vi por última vez hace casi veinte años.

—Ah, sí. Gracias— Tenía en mis manos documentos que probaban que el valor de las propiedades de mi abuelo era de poco menos que mil millones de dólares cuando murió; solo que yo aún no lo sabía.

Después de asegurarme de que se había ido, cogí copias de los testamentos de mi abuelo, disquetes con todos los testimonios de la demanda, y algunos de los registros bancarios de mi abuelo —a los que tenía derecho legalmente como parte de la demanda— y los metí en mis bolsas.

Sue vino a mi casa al día siguiente para recoger los documentos y dejar un teléfono desechable para que pudiéramos comunicarnos con más seguridad en el futuro. No nos arriesgábamos.

En mi tercer viaje a Farrell Fritz, revisé metódicamente revisé cada caja y descubrí que había dos copias de *todo*. Mencioné el hecho a la secretaria de Jack y le sugerí que eso evitaba la necesidad de obtener el permiso de mi hermano, lo cual fue un alivio, ya que no quería involucrarlo. Le dejaría un juego de documentos en el improbable caso de que quisiera uno.

Estaba empezando a buscar la lista de material que el *Times* quería cuando recibí un mensaje de Jack: podía coger lo que quisiera, siempre y cuando dejara una copia. Eso cambió los planes. Había quedado en reunirme con Sue y sus colegas Russ Buettner y David Barstow (los otros dos periodistas que trabajaban en la historia) en mi casa a la 1:00 con el material que había logrado sacar de contrabando. Le envié un mensaje a Sue avisándo que llegaría tarde.

A las 3:00, conduje hasta el muelle de carga debajo del edificio, y diecinueve cajas fueron cargadas en la parte trasera del camión prestado que conducía, ya que no podía accionar el embrague en mi propio coche.

Estaba comenzando a oscurecer cuando me detuve en mi entrada. Los tres periodistas me esperaban en el todoterreno blanco de David, que llevaba un par de cuernos de reno y una enorme nariz roja incorporada a la parrilla delantera. Cuando les mostré las cajas, hubo abrazos por todas partes. Fue lo más feliz que me sentí en meses.

Cuando Sue, Russ y David se fueron, estaba exhausta y aliviada. Habían sido unas cuantas semanas de confusión. No había comprendido completamente cuánto riesgo estaba tomando. Si alguien de mi familia se enteraba de lo que estaba haciendo, habría repercusiones —sabía lo vengativos que podían ser— pero no había forma de medir la gravedad de las consecuencias. Cualquier cosa palidecería en comparación con lo que ya habían hecho. Finalmente sentí que podía hacer algo que contribuyera significativamente a cambiar algo.

Desde pequeña, no había nada que pudiera hacer que fuera lo suficientemente significativo, así que no lo intenté demasiado. Porque ser bueno o hacer el bien no tenía demasiada importancia; cualquier cosa que hicieras tenía que ser extraordinaria. No podías ser solo un fiscal; tenías que ser el mejor fiscal del país, tenías que ser un juez federal. No podías solo pilotar aviones; tenías que ser un piloto profesional de una gran aerolínea en los comienzos de la era de los aviones. Durante mucho tiempo, culpé a mi abuelo por sentirme así. Pero ninguno de nosotros se dio cuenta de que la expectativa de ser «el mejor» en opinión de mi abuelo se había aplicado solo a mi padre (que había fracasado) y a Donald (que había superado ampliamente las expectativas de Fred).

Cuando finalmente me di cuenta de que a mi abuelo no le importaba lo que yo pudiera conseguir o lograr, y que mis propias expectativas irreales me paralizaban, todavía sentía que solo un gran gesto lo arreglaría. No me bastaba con ser voluntaria en una organización que ayudaba a los refugiados sirios; tenía que frenar a Donald.

Después de las elecciones, Donald llamó a su hermana mayor, aparentemente para averiguar cómo lo estaba haciendo. Por supuesto, pensó que ya sabía la respuesta; de lo contrario no habría hecho la llamada. Él sólo quería que ella le confirmara con firmeza que estaba haciendo un trabajo fantástico.

Cuando ella dijo:

—No tan bien —Donald inmediatamente se ofendió.

—Eso es desagradable —dijo. Ella pudo intuir el desdén en su cara. Luego, aparentemente sin motivo, le preguntó:

—Maryanne, ¿dónde estarías sin mí? Era una referencia presuntuosa al hecho de que Maryanne le debía su primera judicatura federal a Donald porque Roy Cohn le había hecho un favor a él (y a ella) hacía ya muchos años.

Mi tía siempre insistió en que se había ganado su puesto por sus propios méritos, y le respondió:

—Si dices eso una vez más, te *aplastaré*.

Pero era una amenaza hueca. Aunque Maryanne se había enorgullecido de ser la única persona en el planeta a la que Donald había escuchado alguna vez, esos días ya habían pasado, lo que se evidenció no mucho después, en junio de 2018. En la víspera de la primera cumbre de Donald con el dictador norcoreano Kim Jong-un, Maryanne llamó a la Casa Blanca y dejó un mensaje a su secretaria: «Dile que su hermana mayor llamó con un pequeño consejo de hermana. Ve preparado. Aprende de aquellos que saben lo que hacen. Aléjate de Dennis Rodman. Y deja su Twitter en casa».

Lo ignoró todo. El titular de *Politico* del día siguiente decía «Trump dice que en la reunión con Kim lo importante será la 'actitud', no el trabajo de preparación». Si Maryanne había tenido alguna vez alguna influencia sobre su hermano pequeño, ya se había esfumado. Aparte de la habitual llamada de cumpleaños, no hablaron mucho después de aquel episodio.

Mientras trabajaban en el artículo, los reporteros del *Times* me invitaron a acompañarlos en un tour por las propiedades de mi abuelo. La mañana del 10 de enero de 2018, me recogieron en el todoterreno de David, todavía adornado con su cornamenta y su nariz roja, en la estación de tren de Jamaica. Comenzamos en el Highlander, donde yo había crecido, y en el transcurso del día atravesamos nieve y hielo en un esfuerzo por visitar la mayor parte posible del imperio Trump.

Después de nueve horas todavía no habíamos logrado verlo todo. Había cambiado mis muletas por un bastón para entonces, pero todavía estaba agotada, mental y físicamente, cuando llegué a casa. Traté de encontrarle sentido a lo que había visto. Siempre supe que mi abuelo era dueño de edificios, pero no tenía idea de cuántos. Lo que es más inquietante, mi padre aparentemente era dueño del 20 por ciento de algunos edificios de los que nunca había oído hablar.

El 2 de octubre de 2018, el *New York Times* publicó un artículo de casi 14.000 palabras, el más largo de su historia, revelando la larga letanía de actividades potencialmente fraudulentas y criminales en las que mi abuelo, mis tíos y mis tías habían participado.

A través de los extraordinarios reportajes del equipo del *Times*, aprendí más sobre las finanzas de mi familia de lo que nunca había sabido. El abogado de Donald, Charles J. Harder, previsiblemente negó las acusaciones, diciendo: «Las acusaciones de fraude y evasión de impuestos del *New York Times* son 100% falsas y altamente difamatorias. No hubo fraude ni evasión fiscal por parte de nadie». Pero los reporteros de la investigación expusieron un caso devastador. En el transcurso de la vida de Fred, él y mi abuela habían transferido cientos de millones de dólares a sus hijos. Mientras mi abuelo vivía, solo Donald había recibido el equivalente a 413 millones de dólares, gran parte de ellos a través de medios cuestionables: préstamos que nunca había devuelto, inversiones en propiedades que nunca se habían desarrollado; esencialmente, regalos por los que nunca se habían pagado impuestos. Eso no incluía los 170 millones de dólares que había recibido por la venta del imperio de mi abuelo. Las cantidades de dinero que el artículo mencionaba eran alucinantes, y los cuatro hermanos se habían beneficiado durante décadas. Papá había compartido claramente la riqueza a principios de su vida, pero no le quedaba nada a los 30 años. No tengo ni idea de lo que pasó con su dinero.

En 1992, solo dos años después del intento de Donald de adjuntar un codicilo al testamento de mi abuelo, eliminando a sus hermanos, los cuatro se necesitaron repentinamente: después de toda una vida en que su padre los había enfrentado, finalmente tuvieron un objetivo común: proteger su herencia del gobierno. Fred se había negado a seguir el consejo de sus abogados de ceder el control de su imperio a sus hijos antes de su muerte para reducir al mínimo los impuestos sobre la herencia. Eso significaba que Maryanne, Elizabeth, Donald y Robert serían responsables de potencialmente cientos de millones de dólares de impuestos sobre la herencia. Además de docenas de edificios, mi abuelo había acumulado sumas extraordinarias de dinero en efectivo. Sus propiedades no tenían deudas y aportaban millones de dólares cada año. La solución de los hermanos fue crear la empresa *All County Building Supply & Maintenance*. En ese momento, mi abuelo estaba al margen debido a su creciente demencia, aunque no creo que hubiera puesto objeciones a ese plan. Y como mi padre había muerto hacía mucho tiempo, Maryanne, Donald y Robert podían hacer lo que quisieran; eran nuestros fideicomisarios, pero no había nadie que les obligara a cumplir sus obligaciones con Fritz y conmigo, y podían mantenernos fácilmente al margen.

Mis tías y tíos detestaban pagar impuestos casi tanto como su padre, y parecía que el propósito principal de *All County* era, según el artículo, «desviar el dinero de Trump Management a través de grandes regalos disfrazados de transacciones comerciales legítimas». La treta fue tan efectiva que, cuando Fred murió en 1999, sólo tenía 1,9 millones de dólares en efectivo y ningún activo mayor que un pagaré de 10,3 millones de dólares de Donald. Después de la muerte de Gam al año siguiente, el valor combinado de la herencia de mis abuelos se dijo que era sólo 51,8 millones de dólares, una afirmación irrisoria, sobre todo porque los hermanos vendieron el imperio por más de 700 millones de dólares cuatro años después.

La inversión de mi abuelo en Donald había sido muy exitosa a corto plazo. Había desplegado estratégicamente millones de dólares, y a menudo decenas de millones de dólares, en momentos clave de la «carrera» de Donald. A veces, los fondos habían apoyado la imagen, y el estilo de vida asociado a ella; a veces habían comprado el acceso de Donald a obtener favores. Con creciente frecuencia, lo habían rescatado. De esa manera, Fred compró la capacidad de disfrutar del reflejo de la gloria de Donald, satisfecho al saber que nada de esto hubiera sido posible sin su experiencia y generosidad. A la larga, sin embargo, mi abuelo, que deseaba que su imperio sobreviviera a perpetuidad, lo perdió todo.

Las veces que mi hermano y yo nos reunimos con Robert para discutir la herencia de mi abuelo, él era enfático en respetar el deseo de mi abuelo de que no recibiésemos nada. Sin embargo, cuando se trataba de su propio beneficio, los cuatro hermanos Trump supervivientes no tenían ningún reparo en hacer la única cosa que mi abuelo menos hubiera querido: cuando Donald anunció su deseo de vender, nadie opuso resistencia.

En 2004, la gran mayoría del imperio que mi abuelo había pasado más de siete décadas construyendo se vendió a un solo comprador, Ruby

Schron, por 705,6 millones de dólares. Los bancos que financiaban la venta de Schron habían asignado un valor de casi 1.000 millones de dólares a las propiedades, así que de un solo golpe mi tío Donald, el maestro de los negocios, dejó casi 300 millones de dólares sobre la mesa.

Vender la finca a granel fue un desastre estratégico. Lo más inteligente hubiera sido mantener intacta Trump Mangement. Con prácticamente ningún esfuerzo por su parte, los cuatro hermanos podrían haber ganado entre 5 y 10 millones de dólares al año *cada uno*. Pero Donald necesitaba una inyección mucho más grande de dinero en efectivo. Una suma tan insignificante, aunque le llegara anualmente, no iba a ser suficiente.

También podrían haber vendido los edificios y complejos individualmente. Eso habría aumentado sustancialmente el precio de venta. Ese proceso, sin embargo, habría sido muy largo. Donald, cuyos acreedores de Atlantic City le pisaban los talones, no quería esperar. Además, habría sido casi imposible mantener en secreto la noticia de docenas de ventas. Necesitaban completar la venta en una sola transacción, tan rápida y silenciosamente como fuera posible.

Tuvieron éxito en ese aspecto. Puede que sea el único de los negocios inmobiliarios de Donald que no recibió atención de la prensa. Cualquier objeción que Maryanne, Elizabeth y Robert pudieran haber tenido, la mantuvieron en secreto. Incluso ahora Maryanne, casi diez años mayor, más inteligente y más consumada que el segundo hijo menor de Trump, dice: «Donald siempre se salió con la suya». Además, ninguno de ellos podía arriesgarse a esperar; todos sabían dónde estaban enterrados los trapos sucios porque los habían enterrado juntos en *All County*.

Dividido en cuatro partes, cada uno de ellos obtuvo aproximadamente 170 millones de dólares. Para Donald, todavía no era suficiente. Tal vez no lo fue para ninguno de ellos. Nada lo fue nunca.

Cuando visité a Maryanne en septiembre de 2018, menos de un mes antes de que se publicara el artículo, mencionó que la había contactado el periodista David Barstow. Mi primo David, que fue a buscar al antiguo contable de mi abuelo Jack Mitnick, ahora de noventa y un años, a un asilo de ancianos en algún lugar de Florida, creyó que él debía ser la fuente de la información. Maryanne se lavó las manos de todo el tema y sugirió que el artículo debía ser sobre la controversia del codicilo de 1990. Si ella habló con Barstow, sin embargo, debe haber sabido el alcance de lo que estaban investigando (*All County* y el posible fraude fiscal), pero parecía no estar preocupada por ello. Me pregunté, ahora por razones completamente diferentes, por qué ella y Robert no habían hecho todo lo posible por disuadir a Donald de presentarse a la presidencia. No podían haber pensado que él (y por extensión, ellos) seguirían escapando al escrutinio público.

Me reuní de nuevo con Maryanne poco después de que saliera el artículo. Ella lo negó todo. Después de todo ella era sólo una «chica». Cuando se le ponía delante un papel que requería su firma, lo firmaba, sin hacer preguntas. «Este artículo se remonta a sesenta años atrás. Sabes que eso fue antes de que yo fuera juez», dijo, como si la investigación también hubiera *terminado sesenta* años antes. Parecía despreocupada de que hubiera alguna repercusión. Aunque se había abierto una investigación judicial sobre su presunta conducta, todo lo que tuvo que hacer para ponerle fin fue jubilarse, lo cual hizo, conservando así su pensión de 200.000 dólares al año.

Mientras tanto, había trasladado sus sospechas del anciano Jack Mitnick a su primo hermano John Walter, el hijo de Elizabeth, la hermana de mi abuelo, Elizabeth, que había muerto en enero. Me maravilló la facilidad con la que Maryanne llegó a esa conclusión. John había trabajado para y con mi abuelo durante décadas, se había beneficiado enormemente de la riqueza de su tío, había estado muy involucrado en *All County*, y, por lo que yo sabía, siempre había sido muy leal. Me pareció extraño que lo implicara, aunque sus sospechas sobre él trabajaban a mi favor. Lo que no sabía en ese momento era que el obituario de John había olvidado mencionar a Donald. John siempre había estado interesado en la historia de la familia Trump y se jactaba de su conexión con Trump Management, así que fue una omisión notable.

Más sorprendente, sin embargo, fue el hecho de que Maryanne no parecía pensar que yo encontraría algo en el artículo que me perturbase, como si ella, también, hubiera llegado a creer una versión de los hechos que borró la verdad y reescribió la historia. No se le ocurrió que las revelaciones me afectarían de alguna manera.

De hecho, las enormes cantidades de dinero que los hermanos posiblemente habían robado hicieron que su lucha con nosotros por el testamento de mi abuelo y su drástica devaluación de nuestra participación en la sociedad (que ahora comprendí por primera vez) pareciera patológicamente mezquina y su forma de tratar a mi sobrino con respecto a nuestro seguro médico fuera aún más cruel.

CAPÍTULO CATORCE

Un funcionario de la vivienda pública

Hay una línea directa que va desde la Casa, al tríplex de la Trump Tower y al Ala Oeste; así como hay una que va desde Trump Management a Trump Organization y al Despacho Oval. Los primeros son entornos esencialmente controlados en los que siempre se han atendido las necesidades materiales de Donald; los segundos, una serie de sinecuras en las que el trabajo fue realizado por otros y Donald nunca necesitó adquirir experiencia para alcanzar o retener el poder (lo que explica, en parte, su desdén por la experiencia de los demás). Todo esto ha protegido a Donald de sus propios fracasos y le ha permitido creerse un éxito.

Donald fue para mi abuelo lo que el muro fronterizo con México ha sido para Donald: un proyecto de vanidad financiado a expensas de actividades más importantes. Fred no preparó a Donald para que le sucediera; cuando estaba en su sano juicio, no le confiaba la gestión de Trump Management a nadie. En cambio, usó a Donald, a pesar de sus fracasos y su mal juicio, como la cara pública de su propia ambición frustrada. Fred siguió apoyando el falso sentido del éxito de Donald hasta que la única característica que le quedó es la facilidad con la que podía ser engañado por hombres más poderosos.

Había una larga lista de personas dispuestas a aprovecharse de él. En la década de 1980, los periodistas y columnistas de chismes de Nueva York descubrieron que Donald no podía distinguir entre la burla y la adulación, y usaron su desvergüenza para vender periódicos. Esa imagen, y la debilidad del hombre que representaba, fueron precisamente lo que atrajo a Mark Burnett. En 2004, cuando *El Aprendiz* se emitió por primera vez, las finanzas de Donald eran un desastre (incluso luego de recibir su parte de 170 millones de dólares de la herencia de mi abuelo cuando él y sus hermanos vendieron las propiedades), y su propio «imperio» consistía en vender su nombre a marcas cada vez más desesperadas como Trump Steaks (filetes de carne), Trump Vodka y Trump University. Eso lo convirtió en un blanco fácil para Burnett. Tanto Donald como los espectadores fueron el blanco de la broma que era el programa *El Aprendiz*, que, a pesar de todas las pruebas en contra, lo presentaba como un magnate legítimamente exitoso.

Durante los primeros cuarenta años de su carrera inmobiliaria, mi abuelo nunca adquirió deudas. En los años 70 y 80, sin embargo, todo eso cambió cuando las ambiciones de Donald crecieron y sus errores se hicieron más frecuentes. Lejos de expandir el imperio de su padre, todo lo que Donald hizo después de la Trump Tower (que, junto con su primer proyecto, el Grand Hyatt, nunca podría haberse logrado sin el dinero y la influencia de Fred) fue disminuir el valor del imperio. A finales de la década de 1980, la Trump Organization parecía dedicarse al negocio de la pérdida de dinero, ya que Donald desvió incalculables millones de Trump Management para apoyar el creciente mito de sí mismo como un fenómeno de los bienes inmuebles y un maestro de los negocios.

Irónicamente, a medida que los fracasos de Donald en el sector inmobiliario crecían, también lo hacía la necesidad de mi abuelo de que él pareciera exitoso. Fred rodeó a Donald de personas que sabían lo que hacían mientras le daban el crédito; que lo apoyaban y mentían por él; que sabían cómo funcionaba el negocio familiar.

Cuanto más dinero le daba mi abuelo a Donald, más confianza tenía él, lo que le llevó a perseguir proyectos más grandes y arriesgados, lo que condujo a mayores fracasos, obligando a Fred a intervenir con más ayuda. Al seguir permitiéndole todo a Donald, mi abuelo lo hizo más vulnerable: más necesitado de la atención de los medios de comunicación y de dinero gratis, y así crecía su delirio autocomplaciente acerca de su «grandeza».

Aunque rescatar a Donald fue, originalmente tarea exclusiva de Fred, no pasó mucho tiempo para que los bancos se convirtieran también en partícipes. Al principio, engañados por lo que creían que era la implacable eficiencia de Donald y su capacidad para hacer bien su trabajo, actuaron de buena fe. A medida que las bancarrotas se acumulaban y las facturas de las compras imprudentes vencían, los préstamos continuaron, pero ahora como un medio para mantener la ilusión del éxito que los había engañado a ellos mismos en primer lugar. Es comprensible que Donald sintiera cada vez más que tenía un as bajo la manga, aunque no lo tuviera. No era consciente de que otras personas lo estaban usando para sus propios fines y creía que él tenía el control. Fred, los bancos y los medios de comunicación le dieron más libertad de acción para que hiciera su voluntad.

En las primeras etapas de sus intentos de hacerse cargo del Hotel Commodore, Donald dio una rueda de prensa en la que presentó su participación en el proyecto como un hecho consumado. Mintió sobre unas transacciones que no habían tenido lugar, posicionándose de tal forma que fuera difícil prescindir. Él y Fred usaron esta táctica para aprovechar su recién inflada reputación en la prensa neoyorquina, y muchos millones de dólares del dinero de mi abuelo, para obtener enormes reducciones de impuestos para su próximo proyecto, la Trump Tower.

En la mente de Donald, él ha logrado todo por sus propios méritos, aun haciendo trampas. ¿Cuántas entrevistas ha concedido en las que ofrece la obvia y falsa historia de que su padre le prestó un mero millón de dólares que tenía que devolver, y que de ahí en adelante él era el único responsable de su éxito? Es fácil de entender por qué él llega a creerse eso. Nadie ha fracasado tan consistente y espectacularmente como el aparente líder del cada vez más pequeño mundo libre.

Donald hoy es como era a los tres años: incapaz de crecer, aprender o evolucionar, incapaz de regular sus emociones, moderar sus respuestas, o captar y sintetizar información.

La necesidad de afirmación de Donald es tan grande que parece no notar que el mayor grupo de sus partidarios son personas con las que no condescendería ser visto fuera de un mitin. Sus profundas inseguridades han creado en él un agujero negro de necesidad que requiere constantemente la luz de los elogios, que desaparece tan pronto como se emite. Nunca nada es suficiente. Esto va mucho más allá del narcisismo común; Donald no es simplemente débil, su ego es algo frágil que debe ser reforzado a cada momento porque sabe en el fondo que no es nada de lo que dice ser. Sabe que nunca ha sido amado. Así que debe atraer a la gente, haciendo que acepte hasta la cosa aparentemente más insignificante: «¿No es genial este avión?» «Sí, Donald, este avión es genial». Sería descortés no darle esa pequeña concesión. Entonces él hace de sus vulnerabilidades e inseguridades tu responsabilidad: debes apaciguarlas, y debes cuidarlo. Si no lo haces, dejará un vacío insoportable para él durante mucho tiempo. Si eres alguien que se preocupa por su aprobación, dirás cualquier cosa para retenerla. Ha sufrido mucho, y si no haces todo lo posible para aliviar ese sufrimiento, tú también deberías sufrir.

Desde su niñez en la Casa, a sus primeras incursiones en el mundo de los bienes inmuebles de Nueva York y de la alta sociedad hasta hoy, el comportamiento aberrante de Donald ha sido constantemente normalizado por otros. Cuando llegó a la escena inmobiliaria de Nueva York, fue promocionado como un negociador temerario hecho a sí mismo. «Temerario» se le aplicó como un cumplido (usado para implicar autoafirmación más que rudeza o arrogancia), y no era ni autodidacta ni un buen negociante. Pero así fue como empezó, pervirtiendo el lenguaje y gracias al fracaso de los medios de comunicación para hacer preguntas directas.

Sus verdaderas habilidades (auto engrandecimiento, mentira y prestidigitación) fueron interpretadas como fortalezas únicas de su marca de éxito. Al perpetuar su versión de la historia que quería que se contara sobre su riqueza y sus subsecuentes «éxitos», nuestra familia y muchos otros comenzaron el proceso de normalizar a Donald. Su contratación (y trato consiguientes) de trabajadores indocumentados y su negativa a pagar a los contratistas por el trabajo realizado, se asumieron como gajes de hacer negocios. Tratar a la gente con falta de respeto y pagándoles una miseria, lo hacía parecer duro.

Esas tergiversaciones debieron parecer inofensivas en su momento —una forma de vender más ejemplares del *New York Post* o aumentar la audiencia de *Inside Edition*— pero cada transgresión llevó inevitablemente a otra más grave. La idea de que sus tácticas eran cálculos legítimos en lugar de conductas faltas de ética, era otro aspecto del mito que él y mi abuelo habían estado construyendo durante décadas.

Aunque la naturaleza fundamental de Donald no ha cambiado, desde que asumió la presidencia, la cantidad de estrés al que está sometido *ha cambiado drásticamente*. No es el estrés del trabajo, porque él no hace el trabajo, a menos que ver la televisión y twittear insultos cuenten. Es el esfuerzo por mantener al resto de nosotros distraídos del hecho de que no sabe nada —sobre política, civismo o simple decencia humana— , y eso requiere una enorme cantidad de trabajo. Durante décadas, ha recibido publicidad, buena y mala, pero rara vez ha sido sometido a un escrutinio minucioso, y nunca ha tenido que enfrentarse a una oposición significativa. Ahora, todo su sentido de sí mismo y del mundo está siendo cuestionado.

Los problemas de Donald se están acumulando porque las maniobras necesarias para resolverlos, o para fingir que no existen, se han vuelto más complicadas, requiriendo a muchas más personas para ejecutar los encubrimientos. Donald no está preparado para resolver sus propios problemas o cubrir adecuadamente sus huellas. Después de todo, los sistemas se establecieron en primer lugar para protegerlo de sus propias debilidades, no para ayudarlo a negociar con el mundo.

Las paredes de su costosa y bien custodiada celda acolchada están empezando a desintegrarse. La gente que tiene acceso a él es más débil que Donald, más cobarde, pero igual de desesperada. Su futuro depende directamente de su éxito y favor. No ven o se niegan a creer que su destino será el mismo que el de cualquiera que le haya jurado lealtad en el pasado. Parece que hay un sinfín de personas dispuestas a unirse a la pandilla que protege a Donald de sus propias insuficiencias, mientras perpetúa su infundada creencia en sí mismo. Aunque es gente más poderosa la que puso a Donald en las instituciones, y las que lo han protegido desde el principio, es gente más débil que él la que lo mantiene allí.

Cuando Donald se convirtió en un serio aspirante para la candidatura del Partido Republicano y luego salió candidato, los medios de comunicación nacionales trataron sus patologías (su mendacidad, su grandiosidad delirante), así como su racismo y misoginia, como si fueran idiosincrasias entretenidas bajo las cuales acechaba la madurez y la seriedad de los propósitos. Con el tiempo, la gran mayoría del Partido Republicano —desde la extrema derecha hasta los llamados moderados— o bien lo abrazaron para usar su debilidad y maleabilidad en su propio beneficio, o bien miraron hacia otro lado.

Después de las elecciones, Vladimir Putin, Kim Jong-un y Mitch McConnell, todos ellos con un parecido psicológico más que pasajero con Fred, reconocieron, de una manera que otros deberían haber hecho, que la historia personal de Donald y sus defectos de personalidad, lo hacían extremadamente vulnerable a la manipulación de hombres más inteligentes y poderosos. Sus patologías lo han vuelto tan simple que no hace falta nada más que repetirle las cosas que dice y se dice a sí mismo docenas de veces al día: es el más inteligente, el más grande, el mejor, para conseguir que haga lo que quieran, ya sea encarcelando a niños en campos de concentración, traicionando a aliados, implementando recortes de impuestos que aplastan la economía, o degradando cada institución que ha contribuido al surgimiento de los Estados Unidos y al florecimiento de la democracia liberal.

En un artículo para *The Atlantic*, Adam Serwer escribió que, para Donald, la crueldad es el objetivo. Para Fred, eso era totalmente cierto. Uno de los pocos placeres que mi abuelo tenía, además de ganar dinero, era humillar a los demás. Convencido de su rectitud en todas las situaciones, animado por su asombroso éxito y la creencia en su superioridad, tenía que castigar cualquier desafío a su autoridad con rapidez y decisión y poner al retador en su lugar. Eso fue efectivamente lo que sucedió cuando Fred promovió a Donald sobre Freddy para ser presidente de Trump Management.

A diferencia de mi abuelo, Donald siempre ha luchado por conseguir legitimidad, ya sea como un sustituto adecuado de Freddy, como promotor inmobiliario de Manhattan, magnate de los casinos, o ahora como el ocupante del Despacho Oval, pero nunca puede escapar al hecho de no estar cualificado para los mismos o de la sensación de que su «victoria» no fue legítima. Durante la vida de Donald, mientras sus fracasos aumentaban a pesar de las repetidas y extravagantes intervenciones de mi abuelo, su lucha por la legitimidad, que nunca pudo ganarse, se convirtió en un plan para asegurarse de que nadie se enterara de que nunca había sido legítimo. Esto nunca ha sido más cierto que ahora, y es exactamente el problema en el que se encuentra nuestro país: el gobierno tal y como está constituido actualmente, incluyendo el poder ejecutivo, la mitad del Congreso y la mayoría de la Corte Suprema, está enteramente al servicio de la protección del ego de Donald; eso se ha convertido en prácticamente en su único propósito.

Su crueldad sirve, en parte, para distraernos a nosotros y a él mismo de la verdadera magnitud de sus fracasos. Cuanto más atroces son sus fracasos, más atroz es su crueldad. ¿Quién puede prestar atención a los niños que están secuestrados y retenidos en campos de concentración en la frontera mexicana, cuando él amenaza con denunciar y coaccionar a los senadores para que lo absuelvan ante la abrumadora evidencia de culpabilidad, e indultar al Navy SEAL Eddie Gallagher, acusado de crímenes de guerra y condenado por posar para una foto con un cadáver, todo en el mismo mes? Si puede mantener 47.000 platos giratorios en el aire, nadie puede centrarse en ninguno de ellos. Así es todo: es sólo una distracción.

Su crueldad es también un ejercicio de su poder, tal como es. Siempre lo ha ejercido contra gente más débil que él o que no puede oponerse debido a su dependencia u obligaciones. Los empleados y los cargos políticos no pueden defenderse cuando él los ataca en su Twitter, porque al hacerlo arriesgarían sus empleos o su reputación. Freddy no pudo tomar represalias cuando su hermano pequeño se burló de su pasión por volar, debido a su responsabilidad filial y su decencia, así como los gobernadores de los Estados demócratas, desesperados por conseguir la ayuda adecuada para sus ciudadanos durante la crisis del COVID-19, se ven obligados a callar la incompetencia de Donald por miedo a que les retenga los respiradores y otros suministros necesarios para salvar vidas. Donald aprendió hace mucho tiempo cómo elegir sus objetivos.

Donald sigue existiendo en el oscuro espacio entre el miedo a la indiferencia y el miedo al fracaso que llevó a la destrucción de su hermano. Hicieron falta cuarenta y dos años para que la destrucción fuera completada, pero los cimientos fueron puestos temprano y se desarrollaron ante los ojos de Donald, mientras él experimentaba su propio trauma. La combinación de esas dos cosas, lo que presenció y lo que experimentó, lo aislaron y lo aterrorizaron. El papel que el miedo jugó en su infancia y el papel que juega es clave y no puede ser infravalorado. Y el hecho de que el miedo siga siendo una emoción primordial para él habla del infierno que debió de haber existido dentro de la Casa hace seis décadas.

Cada vez que se oye a Donald hablar de que algo es lo más fantástico, lo mejor, lo más grande, lo más tremendo (dando a entender que él lo hizo así), hay que recordar que el hombre que habla sigue siendo, en esencia, el mismo niño pequeño que está desesperadamente preocupado de que él, como su hermano mayor, es inadecuado y que él también será destruido por su insuficiencia. En un nivel muy profundo, su fanfarronería y falsa bravuconería no se dirigen a la audiencia frente a él, sino a una sola persona: su padre, fallecido hace mucho tiempo.

Donald siempre ha podido salirse con la suya haciendo declaraciones generales («Sé más sobre [llenar el espacio en blanco] que nadie, créame» o la otra repetición, «Nadie sabe más sobre [llenar el espacio en blanco] que yo»); se le ha permitido hacer comentarios sobre las armas nucleares, el comercio con China y otras cosas sobre las que no sabe nada; no se le ha cuestionado la eficacia de los medicamentos para el tratamiento de COVID-19 que no han sido probados, ha participado en una historia absurda y revisionista en la que nunca se ha equivocado y nada es culpa suya.

Es fácil parecer coherente y conocedor de la materia cuando se controla la narración y nunca se le presiona para que elabore su premisa o demuestre que realmente entiende los hechos subyacentes. Es una acusación a (entre muchos otros) los medios de comunicación que nada de eso cambiara durante la campaña electoral, cuando exponer las mentiras y afirmaciones escandalosas de Donald podría en habernos salvado de su presidencia. En las pocas ocasiones en que se le preguntó sobre sus posiciones y políticas (que a todos los efectos no existen realmente), no se esperaba ni se le exigía que tuviera sentido o demostrara una comprensión profunda. Desde las elecciones, ha descubierto cómo evitar completamente esas preguntas; las reuniones informativas con la prensa de la Casa Blanca y las conferencias de prensa formales han sido reemplazadas por «charlas a pie de helicóptero» durante las cuales puede fingir que no escucha ninguna pregunta que no desea, debido al ruido de las aspas del helicóptero. En 2020, sus «reuniones informativas para la prensa» sobre la pandemia se convirtieron rápidamente en mini-campañas llenas de autocomplacencia, demagogia y besamanos. En ellas ha negado los fracasos desmesurados que ya han matado a miles de personas, ha mentido sobre los progresos que se están haciendo, y ha convertido en chivo expiatorio a las mismas personas que están arriesgando sus vidas para salvarnos, a pesar de que su administración les ha negado la protección y los equipos adecuados. Incluso cuando cientos de miles de americanos están enfermos y muriendo, él lo interpreta como una victoria, como prueba de su impresionante liderazgo. Y en el caso de que alguien piense que es capaz de ser serio o sombrío, lanzará un chiste sobre modelos de sábanas, o mentirá desmesuradamente sobre la cantidad de sus seguidores en Facebook. Aun así, las cadenas de noticias se niegan a retirarse. Los pocos periodistas que lo desafían, e incluso aquellos que simplemente le piden a Donald palabras de consuelo para una nación aterrorizada, son ridiculizados y descartados como «desagradables». La línea directa que va desde el comportamiento temprano y destructivo de Donald, que Fred alentó activamente, hasta la falta de voluntad de los medios de comunicación para desafiarlo y la voluntad del Partido Republicano de hacer la vista gorda ante la corrupción diaria que ha cometido desde el 20 de enero de 2017, han llevado al inminente colapso de la economía, la democracia y la salud de esta otrora gran nación.

Debemos prescindir de la idea de la «brillante estrategia»» de Donald en relación con los medios de comunicación o la política. No tiene una estrategia; nunca la ha tenido. A pesar de la casualidad que fue su triunfo electoral y de una «victoria» en el mejor de los casos sospechosa, y en el peor de los casos ilegítima, nunca tuvo el control del espíritu de la época; sus fanfarronadas y su desvergüenza sólo resonaron en ciertos segmentos de la población. Si lo que estuvo haciendo durante la campaña de 2016 *no hubiera funcionado*, habría seguido haciéndolo de todos modos, porque mentir, jugar al mínimo común denominador, hacer trampas y sembrar división es todo lo que sabe. Es tan incapaz de adaptarse a las circunstancias cambiantes como de convertirse en «presidencial». Sí se aprovechó de una cierta intolerancia y rabia incipiente, para lo cualsiempre ha sido bueno. La página completa que pagó en el *New York Times* en 1989 pidiendo que los cinco de Central Park fueran ejecutados, no se trataba de su profunda preocupación por el estado de derecho; era una oportunidad fácil para él de abordar un tema profundamente serio que era muy importante para la ciudad, mientras sonaba como una autoridad en las influyentes y prestigiosas páginas de la Dama Gris. Era un racismo sin adornos destinado a despertar la animosidad racial en una ciudad que ya estaba en ebullición. Los cinco chicos, Kevin Richardson, Antron McCray, Raymond Santana, Korey Wise y Yusef Salaam, fueron posteriormente absueltos y se demostró su inocencia mediante pruebas de ADN incontrovertibles. Hasta el día de hoy, sin embargo, Donald insiste en que eran culpables, otro ejemplo de su incapacidad para abandonar una narrativa preferida, incluso cuando se contradice con hechos establecidos.

Donald toma cualquier crítica como un desafío a su persona y se remite al comportamiento que provocó el fuego en primer lugar, como si la crítica fuera el permiso para hacer algo peor. Fred llegó a apreciar la obstinación de Donald porque señalaba el tipo de dureza que buscaba en sus hijos. Cincuenta años después, la gente está literalmente muriendo por sus decisiones catastróficas y su desastrosa inacción. Con millones de vidas en juego, considera como acusaciones personales el fracaso del gobierno federal para proporcionar respiradores, y amenaza con retirar la financiación y el equipo de salvamento de los Estados cuyos gobernadores no le rinden suficiente homenaje. Eso no me sorprende. El silencio ensordecedor en respuesta a tan flagrante muestra de desprecio sociopático por la vida humana o las consecuencias de sus acciones, por otro lado, me llena de desesperación y me recuerda que Donald no es realmente el problema después de todo.

Este es el resultado final de que a Donald se le haya dado continuamente un pase libre y se le haya recompensado no sólo por sus fracasos sino por sus transgresiones contra la tradición, contra la decencia, contra la ley y contra otros seres humanos. Su absolución en el falso juicio político del Senado fue otra recompensa por su mal comportamiento.

Las mentiras pueden volverse verdaderas en su mente tan pronto como las pronuncia, pero siguen siendo mentiras. Es sólo otra forma de ver lo que puede conseguir. Y hasta ahora, se ha salido con la suya en todo.

EPÍLOGO

El décimo círculo

El 9 de noviembre de 2016, día después de las elecciones, mi desánimo se desencadenó en parte por la certeza de que la crueldad e incompetencia de Donald haría que murieran personas. Mi mejor suposición en ese momento fue que eso ocurriría a través de un desastre de su propia cosecha, como una guerra evitable que él provocase o en la que se viera inmerso. No podría haber previsto cuánta gente, voluntariamente, permitiría que él desarrollara sus peores instintos, como ha sucedido con el secuestro de niños por parte del gobierno, la detención de refugiados en la frontera y la traición a nuestros aliados, entre otras atrocidades. Y no podía prever que aparecería una pandemia global, permitiéndole mostrar su grotesca indiferencia hacia las vidas de otras personas.

La respuesta inicial de Donald al COVID-19 subraya su necesidad de minimizar la negatividad a toda costa. El miedo, el equivalente a la debilidad en nuestra familia, es tan inaceptable para él ahora como lo era cuando tenía tres años. Cuando Donald está en medio de grandes problemas, los superlativos ya no son suficientes: tanto la situación como sus reacciones a ella, deben ser únicas, aunque sean absurdas o sin sentido. Durante su mandato, ningún huracán ha sido tan húmedo como el huracán María. «Nadie podría haber predicho» una pandemia que su propio Departamento de Salud y Servicios Humanos estaba haciendo simulaciones solo unos meses antes de que COVID-19 golpeara en el Estado de Washington. ¿Por qué hace esto? Por miedo.

Donald no permaneció impávido en diciembre de 2019, en enero, en febrero, en marzo debido a su narcisismo; lo hizo por su miedo a parecer débil o a no proyectar el mensaje de que todo era «grande, bello y perfecto». La ironía es que su fracaso para enfrentar la verdad ha llevado, de todos modos, un fracaso masivo inevitable. En este caso, se perderán las vidas de potencialmente cientos de miles de personas y la economía del país más rico de la historia podría ser destruida. Donald no reconocerá nada de esto, moviendo los postes de la meta para ocultar la evidencia, y convenciéndose a sí mismo en el proceso, de que si sólo unos pocos cientos de miles mueren en lugar de 2 millones, será porque él ha hecho mejor trabajo que el que podía haber hecho cualquier otra persona.

«Devuévesela a la gente que te ha jodido», ha dicho Donald, pero a menudo la persona de la que se está vengando es alguien a quien él ha jodido primero, como a los contratistas a los que se ha negado a pagar, o la sobrina y el sobrino que se ha negado a proteger. Incluso cuando logra dar en el blanco, su motivación es tan mala que causa daños colaterales. Andrew Cuomo, el gobernador de Nueva York y actualmente el líder de facto de la respuesta de COVID-19 del país, ha cometido no sólo el pecado de no haber besado suficientemente el culo de Donald, sino el pecado *final* de mostrar a Donald que es mejor y más competente, un verdadero líder que es respetado, admirado y eficaz. Donald no puede contraatacar callando a Cuomo o revirtiendo sus decisiones; habiendo abdicado de su autoridad para liderar una respuesta a nivel nacional, ya no tiene la capacidad de contrarrestar las decisiones tomadas a nivel estatal. Donald puede insultar a Cuomo y quejarse de él, pero cada día el verdadero liderazgo del gobernador revela aún más a Donald como un insignificante y patético hombrecillo, ignorante, incapaz, superficial y perdido en su propio delirio. Lo que Donald *puede* hacer para compensar la impotencia y la rabia que siente es castigar al resto de nosotros. Retendrá los respiradores o robará los suministros de los Estados que no se han arrastrado lo suficiente. Si Nueva York sigue sin tener suficiente equipamiento, eso perjudicará la imagen de Cuomo, y el resto de nosotros estaremos condenados. Afortunadamente, Donald no tiene muchos partidarios en la ciudad de Nueva York, pero incluso algunos de ellos morirán por su cobarde necesidad de «venganza». Lo que Donald cree que es una represalia justificada es, en este contexto, un asesinato en masa.

Hubiera sido fácil para Donald ser un héroe. La gente que lo ha odiado y criticado habría perdonado o pasado por alto su interminable flujo de acciones atroces si simplemente hubiera hecho que alguien bajara el manual de preparación para la pandemia de la estantería donde se puso después de que la administración de Obama se lo diera. Si hubiera alertado a las agencias apropiadas y a los gobiernos estatales ante la primera evidencia de que el virus era altamente contagioso, tenía tasas de mortalidad extremadamente altas y no estaba siendo contenido. Si hubiera invocado la Ley de Producción de Defensa de 1950 para comenzar la producción de PPE, respiradores y otros equipos necesarios para preparar al país para hacer frente al peor de los escenarios. Si hubiera permitido que los expertos médicos y científicos dieran conferencias de prensa diarias en las que se presentaran los hechos de forma clara y honesta. Si se hubiera asegurado de que hubiera un enfoque sistemático, de arriba hacia abajo y una coordinación entre todos los organismos necesarios. La mayoría de esas tareas no habrían requerido casi ningún esfuerzo de su parte. Todo lo que habría tenido que hacer era hacer un par de llamadas telefónicas, dar un discurso o dos, y luego delegar todo lo demás. Podría haber sido acusado de ser demasiado cauteloso, pero la mayoría de nosotros estaría a salvo y muchos más habrían sobrevivido. En cambio, los Estados se ven obligados a comprar suministros vitales a contratistas privados; el gobierno federal se apropia de esos suministros, y luego FEMA los distribuye de nuevo a los contratistas privados, que luego los revenden.

Mientras que miles de estadounidenses mueren solos, Donald habla de las ganancias en el mercado de valores. Mientras mi padre moría solo, Donald se fue al cine. Si puede beneficiarse de tu muerte, lo hará, y luego ignorará el hecho de que has muerto.

¿Por qué le tomó tanto tiempo a Donald actuar? ¿Por qué no se tomó en serio el nuevo coronavirus? En parte porque, al igual que mi abuelo, no tiene imaginación. La pandemia no tiene relación directa con él, y manejar la crisis en cada momento, no le ayuda a promover su narrativa preferida de que nunca nadie ha hecho mejor trabajo que él.

A medida que la pandemia avanzaba hacia su tercer, y luego cuarto mes, y el número de muertos seguía aumentando hasta alcanzar las decenas de miles, la prensa comenzó a comentar la falta de empatía de Donald por los que han muerto y las familias que dejan atrás. El simple hecho es que Donald es fundamentalmente incapaz de reconocer el sufrimiento de los demás. Contar las historias de los que hemos perdido por la enfermedad le *aburriría*. Reconocer a las víctimas de COVID-19 sería asociarse con su debilidad, un rasgo que su padre le enseñó a despreciar. Donald no puede abogar por los enfermos y moribundos más de lo que podría haberse interpuesto entre su padre y Freddy. Tal vez lo más importante, para Donald no hay valor en la empatía, no hay un beneficio tangible en el cuidado de otras personas. David Corn escribió, «Todo es transaccional para este pobre y quebrantado ser humano. Todo». Es una tragedia épica de fracaso paternal que mi tío no entienda que él o cualquier otra persona tiene un valor intrínseco.

En la mente de Donald, incluso reconocer una amenaza inevitable indicaría debilidad. Asumir la responsabilidad lo haría susceptible a la culpa. Ser un héroe, ser bueno, es imposible para él.

Lo mismo podría decirse de su gestión de los peores disturbios civiles que ha habido desde el asesinato de Martin Luther King, Jr. Esta es otra crisis en la que hubiera sido tan fácil para Donald triunfar, pero su ignorancia sobrepasa su capacidad para sacar ventaja de la tercera catástrofe nacional que ocurrió en su mandato. Una respuesta efectiva habría implicado un llamado a la unidad, pero Donald requiere división. Es la única forma que conoce para sobrevivir, mi abuelo se aseguró de ello hace décadas, cuando puso a sus hijos en contra de los demás.

Sólo puedo imaginar la envidia con la que Donald vio la crueldad de Derek Chauvin y su monstruosa indiferencia mientras asesinaba a George Floyd; las manos en los bolsillos, su mirada despreocupada dirigida a la cámara. Sólo puedo imaginar que Donald desearía que hubiera sido su rodilla la que estuviera en el cuello de Floyd.

En su lugar, Donald se retira a sus zonas de confort —Twitter, Fox News— echando la culpa desde lejos, protegido por un búnker tanto figurativo como literal. Despotrica sobre la debilidad de los demás, incluso mientras demuestra la suya propia. Pero nunca puede escapar del hecho de que es, y siempre será, un niño aterrorizado.

La monstruosidad de Donald es la manifestación de la misma debilidad dentro de él de la que ha estado huyendo toda su vida. Para él, nunca ha habido otra opción que ser positivo, proyectar fuerza, no importa cuán ilusorio sea, porque hacer cualquier otra cosa conlleva una sentencia de muerte; la corta vida de mi padre es una prueba de ello. El país está sufriendo ahora la misma positividad tóxica que mi abuelo desplegó específicamente para ahogar emocionalmente a su esposa enferma, atormentar a su hijo moribundo y dañar, más allá de posible curación, la psique de su hijo favorito, Donald J. Trump.

«Todo va genial. ¿Verdad *Toots*?»

Agradecimientos

En Simon & Schuster, gracias a Jon Karp, Eamon Dolan, Jessica Chin, Paul Dippolito, Lynn Anderson y Jackie Seow.

En WME gracias a Jay Mandel y Sian-Ashleigh Edwards.

Gracias también a Carolyn Levin por su atenta supervisión del manuscrito; David Corn de *Mother Jones* por su amabilidad; Darren Ankrom, extraordinario verificador de datos; Stuart Oltchick por contarme sobre las buenas épocas; al Capitán Jerry Lawler por toda la maravillosa historia de TWA; y a Maryanne Trump Barry por toda la información esclarecedora.

Mi agradecimiento a Denise Kemp por la solidaridad que me mostró; a mi madre, Linda Trump, por todas las grandes historias; a Laura Schweers; Debbie R; Stefanie B; y a Jennifer T por su amistad y confianza cuando más las necesitaba. A Jill y Mark Nass por ayudarnos a mantener la tradición viva (¡JCE!).

A nuestro querido Trumpy, a quien extraño todos los días.

Estoy profundamente agradecida a Ted Boutrous, por ese primer encuentro y por creer en la causa; a Annie Champion por su generosidad y amistad; a Pat Roth por su concienzudo *feedback* y por formar parte de mi vida; a Annamaria Forcier por ser tan buena amiga de mi padre, estoy tan contenta de haberte encontrado; a Susanne Craig y Russ Buettner por su extraordinario periodismo e integridad, gracias por haberme subido al viaje. A Sue, nada de esto hubiera sido posible sin tu persistencia, coraje y aliento; a Liz Stein por acompañarme en este viaje conmigo y hacer de este un mejor libro —y una experiencia mucho más divertida y menos solitaria de lo que podría haber sido (y, por supuesto, para el Bebé Yoda); a Eric Adler por estar ahí para mí durante todo, por tu incansable *feedback*, y por apoyarme frente al prestamista local; y a Alice Frankston por estar involucrada desde el principio en este proyecto, creyendo en él incluso cuando yo no lo hacía, y leyendo cada palabra más veces de las que puedo contar. No puedo esperar a lo que nos depare el futuro.

Y finalmente, a mi hija, Avary, por ser más paciente y comprensiva de lo que cualquier niña debería ser. Te quiero.

Ecosistema digital

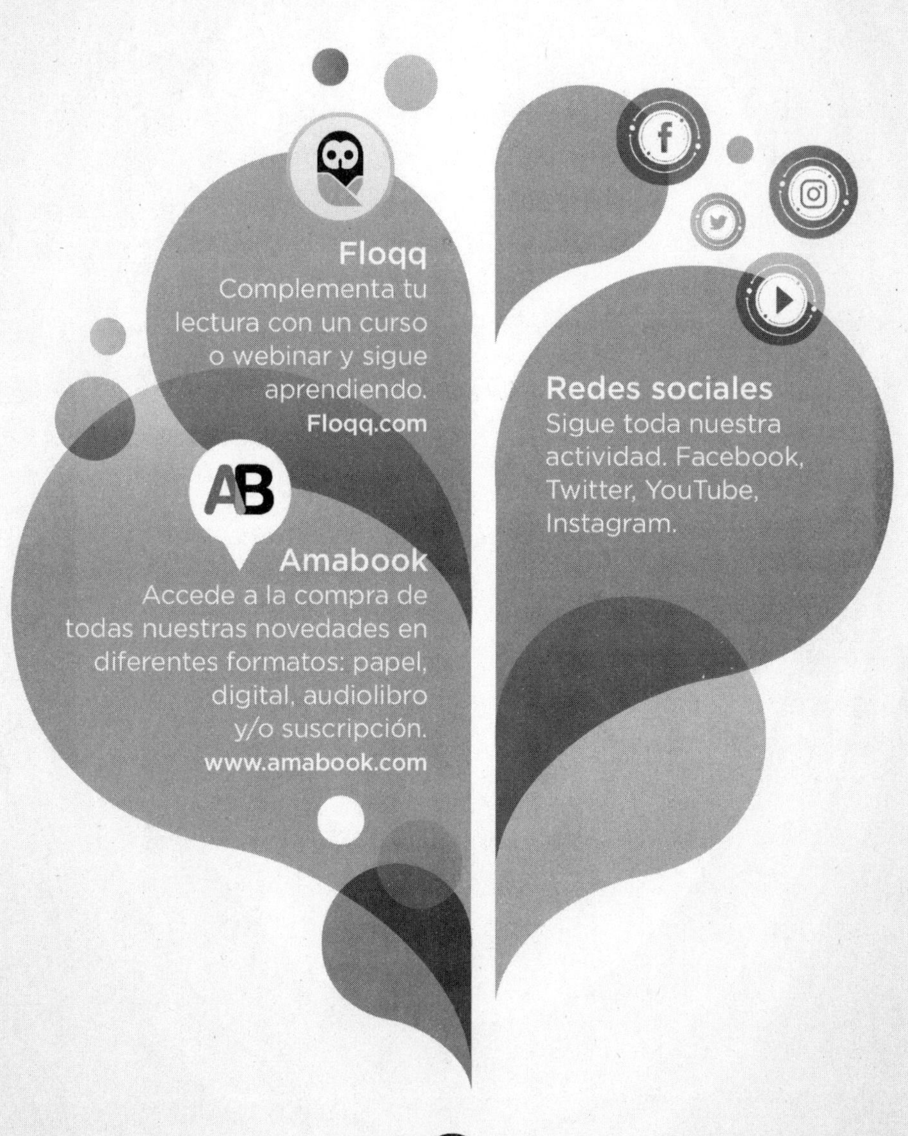